Éloge
de la
faiblesse

© Les Éditions du Cerf, 1999

ALEXANDRE JOLLIEN

Éloge
de la
faiblesse

MARABOUT

PRÉFACE

À plus d'un titre, l'ouvrage que le lecteur tient en main est singulier. Ce récit autobiographique, d'une vie singulière, étonnante, relate le cheminement d'Alexandre Jollien, infirme moteur cérébral, qui, en raison de son handicap, était destiné à rouler des cigares et qui se retrouve, au terme d'un long périple, sur les bancs de l'université à étudier la philosophie. Ce qui frappe d'abord le lecteur, c'est, bien entendu, le fait que, grâce à un continuel effort de dépassement de soi, Alexandre Jollien a réussi, «titubant et piéton», à entrer dans l'univers qui, vu de l'institution où il a vécu dix-sept ans, apparaissait comme un «autre monde», celui de la normalité. Très étonnante preuve de la capacité d'adaptation de l'être humain, certes, mais surtout expression de l'obstination inébranlable à «rester debout», à trouver un sens aux expériences de la vie, de la souffrance et de l'effort.

Ce récit est prenant, captivant. Alexandre Jollien refuse toute forme de commisération et de pitié: «Ne pas fuir le handicap», enseigne-t-il. Accepter que «jamais je ne serai normal», affirme-t-il, cela revient à poser la question du sens de la dissemblance. L'auteur, tout en racontant son expérience, parfois difficile et douloureuse mais toujours stimulante, invite de manière insistante à s'interroger sur la distinction entre normal et anormal. Sans proposer de solution lénifiante ou harmonieuse, son propos tend à un questionnement qui renverse ce que nous croyons savoir et qui règle, bien souvent, notre comportement face à ce qui est autre, dissemblable et étranger.

Parce qu'il nous contraint à «regarder autrement», ce livre est authentiquement philosophique. La présence de Socrate dialoguant avec l'auteur n'est que le signe extérieur de la vigueur philosophique qui anime ces pages. L'entretien est socratique non seulement parce que le protophilosophe y joue le rôle de celui qui interroge en avouant son ignorance ou parce que la discussion révèle et manifeste le problème que l'homme est pour lui-même, mais encore et surtout parce que le dialogue aboutit, comme certains écrits platoniciens, à un renversement radical des valeurs : Socrate qui interroge est lui-même questionné, contraint à poser le problème embarrassant de sa propre normalité. La philosophie, en effet, est cet exigeant et continuel effort de «regarder autrement». Aucune figure de philosophe n'incarne de manière plus expressive cette démarche dérangeante que Démocrite, dont il est question dans les Lettres pseudo-hippocratiques *Sur le rire et la folie*. Ce recueil instructif d'un imposteur antique raconte que les habitants de la cité d'Abdéra, où demeurait le célèbre philosophe Démocrite, avaient fait appel au médecin le plus renommé de l'Antiquité, Hippocrate. Les bonnes gens pensaient que l'illustre philosophe avait perdu la raison : «Démocrite rit de tout.» Hippocrate, nous disent ces Lettres, se rendit à Abdéra. La rencontre entre le médecin et le philosophe conduisit à un remarquable renversement : le prétendu fou se révèle être un grand sage car il rit de la déraison des hommes qui s'intéressent à ce qui n'a pas d'intérêt et passent leur vie à entreprendre des choses risibles. Cette fable du philosophe qui rit illustre de manière délibérément amplifiée ce renversement philosophique dont il est aussi question dans le présent ouvrage lorsque le lecteur est engagé à s'interroger sur la normalité.

Un autre aspect philosophique se dégage du texte d'Alexandre Jollien, lequel envisage la philosophie avant tout comme une interrogation libre de tout préjugé, comparable à une loupe qui grossit les traits du réel ; il reconnaît sa dette à l'égard des philosophes qui l'ont aidé à progresser, c'est-à-dire à découvrir au cœur de la faiblesse la grandeur de l'homme. L'appel socratique du «Connais-toi toi-même», d'étonnement interrogatif initial sur l'énigme de l'existence humaine, se transforme dans ces conditions en émerveillement devant l'existence de soi-même et d'autrui. Certains passages de ce livre m'ont rappelé une des plus belles pages de toute l'histoire de la philosophie occidentale (bien qu'elle ne soit pratiquement pas connue!). Je fais allusion aux premières lignes du *Livre de la contemplation* de Raymond Lulle, Raymond le fou, qui, tant et tant de fois, avait eu à combattre la dure épreuve de l'angoisse et de la mélancolie. Le philosophe catalan exprime là sa profonde joie de l'être-en-être : «Ah, Seigneur Dieu! Soyez béni et loué, car l'homme doit se réjouir beaucoup de ce qu'il est en être, et qu'il n'en est pas privé. Nous, qui avons la certitude d'être réellement, réjouissons-nous-en.» Ou encore plus simplement, en quatre mots : «Le philosophe est toujours joyeux» (*Philosophus semper est laetus*).

Cet ouvrage est également un livre sur la valeur de l'amitié. Sur sa nécessité d'abord : au fil de la lecture, on se rend compte que les amitiés ont rendu supportable la vie dans l'institution ; sur ses bienfaits ensuite : l'auteur rapporte cette scène, inoubliable pour lui et émouvante pour le lecteur, où, du fond de son lit, son ami Jérôme qui sait à peine parler s'inquiète du bien-être de son camarade. C'est une scène clé du livre parce qu'elle révèle, au cœur de la faiblesse, la bienveillance qui vivifie ; elle parle du regard qui accorde la priorité à autrui.

Le livre d'Alexandre Jollien m'est infiniment précieux parce qu'il apporte un témoignage vivant, sincère et authentique de cette conviction ancienne (puisque aristotélicienne) mais toujours menacée que l'homme est capable d'être, que l'homme est l'ami de l'homme.

Ruedi IMBACH
Professeur de philosophie à l'Université de Fribourg (Suisse).

À mes parents,
et à Étienne Parrat pour l'esprit de son amitié fidèle.
Ce livre doit aussi beaucoup à Pierre Carruzzo,
André Gilloz, Antoine Maillard et Georges Savoy
dont le soutien m'a ouvert la voie libératrice des études.
Et à Laure, Marie-Madeleine, Nicole, Henri, Willy, qui,
avec eux, et bien d'autres, m'accompagnent sur le chemin
joyeux, chaotique parfois, de ma vie.
Toute ma gratitude va, enfin, à mes camarades d'enfance
qui m'ont tant apporté.

AVANT-PROPOS

Socrate, l'éveilleur

Tout commence dans un dortoir. Une personne handicapée moteur cérébral, entourée de trois camarades d'infortunes, a coutume de s'exiler un peu en de toniques dialogues intérieurs pour mieux vivre, rester debout et maintenir le cap. Socrate avait pour habitude de déambuler sur l'Agora et d'interroger les badauds sans soucis de convenances, à l'écart des préjugés. C'est donc l'interlocuteur idéal et compréhensif pour un jeune homme assez démuni devant les exigences du réel, jeune homme qui n'a qu'un seul but, comprendre un peu mieux les autres, glaner de la joie et sauver sa peau, surtout.

Aujourd'hui, je relis ce dialogue non sans émotions, car il a été le lieu d'une naissance. La philosophie, la littérature, je les considérais comme réservées à une élite, à mille lieux de mes préoccupations quotidiennes. Pourtant, un jour, accompagnant une amie dans une librairie, je suis tombé sur un petit ouvrage qui s'intitulait *Philo de base*. Commentant Socrate, l'auteur disait : «Chercher à vivre meilleur, tout est là.» Jusqu'alors, j'avais tout fait pour m'efforcer de vivre mieux, c'est-à-dire améliorer mon sort et me développer physiquement. Et parmi les livres s'établissait tout-à-coup une conversion, un but était né. Vivre meilleur, prendre soin de mon âme, progresser intérieurement. Le dialogue qui va suivre n'est pas sans quelques naïvetés, une innocence. La figure de Socrate apparaît comme paternelle, pleine de compassion. Il écoute plus qu'il ne travaille à être véritablement Socrate. Pourtant, son aiguillon a opéré et opère toujours en moi.

Les faibles, mes maîtres

La vie me donne des guides. Les premiers furent les personnes handicapées avec lesquelles j'ai vécu pendant dix-sept ans. Je leur dois ce que je suis et, avant Socrate, elles m'ont invité à considérer le monde comme un silène, ces petites boîtes d'allure grossière qui recelaient en leur sein des trésors. Ainsi, dans des corps meurtris, dans des âmes blessées, j'ai découvert une joie imprenable, à qui j'allais consacrer ma vie, celle que je recherche de moins en moins puisqu'elle nous précède sans cesse, qu'elle règne déjà au fond du fond. Souvent, nous nous interrogeons sur ce que la société peut apporter aux faibles et aux marginaux. Ce livre entend modestement montrer ce que des personnes d'une extrême faiblesse m'ont apporté, ce qu'elles donnent.

La blessure n'est pas toujours là où on le croit

Les réflexions sur les éducateurs que l'on trouvera ici peuvent paraître dures, sans nuances. Aujourd'hui, cependant, je ne changerais rien à ce que j'avance. J'ai, depuis, rencontré de nombreux éducateurs et je me réjouis de voir que tous ne pratiquent pas la distance thérapeutique. Certains allient dans un art splendidement audacieux la générosité et l'exigence. La blessure fondamentale de mon existence réside tout de même dans ce manque d'affection, et je ne puis taire que la distance procède de la maltraitance lorsqu'elle n'est pas naturelle, souple. Une attitude plus féconde serait sans doute le recul, la distance du travailleur social à l'endroit de ses propres conceptions du monde, à l'égard de ses réactions et ses réflexes mais en aucun cas dans une barrière dressée entre lui et la personne qu'il accompagne.

Deviens ce que tu es

Si ce livre pouvait faire à son tour éclore quelques vocations, inviter le lecteur à entrer en lui-même et découvrir ses profondes aspirations et sa quête véritable, il contribuerait joyeusement à donner sens aux épisodes parfois douloureux qui jalonnent ce modeste dialogue, petit manuel d'un progressant qui a pour guide la joie.

Alexandre JOLLIEN

Les personnes citées dans cet ouvrage le sont sous des noms fictifs, à l'exception du Père Morand… et de Socrate.

> «L'étonnement, au début comme
> aujourd'hui encore, a poussé l'homme
> à philosopher [...] mais qui questionne
> et s'étonne a le sentiment
> de l'ignorance [...]. Afin donc d'échapper
> à l'ignorance, les hommes commencèrent
> à philosopher.»
>
> ARISTOTE

Ainsi la philosophie est née de l'étonnement de l'homme face au monde. Dépasser le «ça-va-sans-dire» et les clichés de la vie quotidienne, voilà le propre du philosophe.

Dès les origines, les philosophes s'interrogèrent sur des questions qui semblaient évidentes, sinon banales, à leurs contemporains. Tout au long de ces pages, j'essaierai d'appliquer cette démarche à l'expérience d'un séjour de plus de dix-sept ans dans un Centre spécialisé. Handicapé de naissance, j'ai grandi dans un établissement pour personnes infirmes moteur cérébral (IMC).

«La mémoire constitue l'estomac de l'esprit», affirmait saint Augustin. Ce processus créateur m'a amené à sélectionner quelques expériences de mon parcours. Mon passé devenait ainsi le terreau de ma réflexion. Le menu choisi, encore me fallait-il trouver un digestif. Pourquoi pas l'humour, ce bienfaiteur, cette voie royale pour relativiser les situations parfois tragiques de l'existence? Nietzsche disait à ce propos: «Si tu veux savoir qui est le bon philosophe, mets-les tous en ligne. Celui qui rit, c'est le bon.»

Je ne peux pas écrire à la main. J'ai donc dicté ce texte à un ordinateur qui a transcrit ma parole, d'où un style parfois proche de la langue parlée.

Quant au choix de la discussion socratique, il reflète fidèlement la manière dont j'ai connu la philosophie. En effet, pour parer aux difficultés quotidiennes, je lisais les philosophes, qui devenaient pour moi des interlocuteurs privilégiés. Parmi eux, Socrate joua un rôle décisif. Mon intérêt pour la philosophie coïncida précisément avec la découverte de sa pensée. En outre, il m'a semblé que l'absence totale de préjugés que l'on associe généralement à Socrate faisait de lui un excellent compagnon de route pour l'aventure que je m'apprête à relater.

PROLOGUE

Où se déroula cet étrange entretien? Libre à vous de choisir!
Peut-être était-ce en Grèce, sur l'agora, parmi la foule innom-
brable des passants anonymes: l'un se rendait au marché,
l'autre visitait un vieil ami, celui-ci revenait de chez le médecin, celui-là y allait? Ou, plus modestement, était-ce dans ce
petit dortoir faiblement éclairé où, au plus secret de la nuit,
je veillais avec mes camarades d'infortune? Quand? Nul ne le
sait. Pourquoi? Cherchez bien, vous trouverez. Tout a un sens.
Les entretiens avec Socrate furent fréquents et durèrent fort
longtemps. Je ne rapporte ici que l'essentiel de notre propos,
épargnant ainsi au lecteur les longues heures de discussion
durant lesquelles Socrate a désarçonné son interlocuteur,
démasqué ses préjugés les plus grossiers et l'a obligé à définir
chacun des maîtres mots utilisés.

ALEXANDRE

Socrate?

SOCRATE

Lui-même.

ALEXANDRE

Salut à Socrate.

SOCRATE

Salut à… Que me veux-tu?

ALEXANDRE

Te… t'exprimer mon extrême gratitude.

SOCRATE

Que t'ai-je donc fait?

ALEXANDRE

Le plus grand des biens!

SOCRATE

Nous sommes-nous déjà rencontrés?

ALEXANDRE

Dans un certain sens.

SOCRATE

Tu m'intrigues.

ALEXANDRE

Si tu n'es pas trop pressé,…

SOCRATE

J'ai tout le temps, raconte… Pourvu que tu ne te lasses pas de parler.

ALEXANDRE

Eh bien! je me présente. Je m'appelle Alexandre. J'ai vingt-trois ans et j'étudie la philosophie à l'université.

SOCRATE

Jusque-là, rien de bien particulier.

ALEXANDRE

Et pourtant…

SOCRATE

Revenons à ton propos, poursuis avec confiance!

ALEXANDRE

J'ai donc vingt-trois ans et j'ai commencé des études de philosophie…

SOCRATE

Procède par étapes! Raconte-moi tout. Va aux faits, sans digressions. S'il est nécessaire, je te poserai moi-même les questions utiles. D'abord, parle-moi de ton enfance.

Que vais-je donc te dire? Je vis le jour le 26 novembre de l'année 1975, dans un petit village suisse que je quittai presque aussitôt. Un accident de naissance m'arracha à ma famille en obligeant mes parents à me placer dans une institution spécialisée, enfin, prétendue spécialisée. J'y ai…

SOCRATE

Ne nous précipitons pas! Quel accident de naissance?

ALEXANDRE

Une athétose.

SOCRATE

Sois plus clair!

ALEXANDRE

Comme tu le vois, j'ai quelque peine à coordonner mes mouvements, ma démarche est hésitante et je parle lentement. Ce sont là les séquelles d'une asphyxie que l'on nomme scientifiquement une athétose.

SOCRATE

Et quelle en fut la cause?

ALEXANDRE

À trop vouloir cabrioler dans le ventre de ma mère, je m'enroulai le cordon ombilical autour du cou et… tu peux constater toi-même les dégâts.

Ma naissance se déroula dans une atmosphère fort critique. Ma maman me rapporta qu'elle vit surgir de son ventre un bébé tout noir qui ne pleurait pas. «Il est mort?» s'écria-t-elle, et l'infirmière de répondre: «Non, mais on ne sait pas trop comment ça ira.» Le bébé fixa un moment les yeux fatigués de sa mère puis, déjà, on les séparait. Je fus aussitôt transporté dans un hôpital où l'on pratiquait la réanimation.

SOCRATE

La dernière chance?

ALEXANDRE

Plutôt la première! Pour maman, le mot «réanimation» autorisait un espoir. Maman, privée de son bébé, insistait auprès du corps médical: «Qu'il vive, qu'il vive, n'importe comment, pourvu qu'il vive! On le prendra comme il viendra, mais pourvu qu'il vive!» Le sort voulut que ses vœux fussent exaucés. Dix jours plus tard, maman serrait contre elle un magnifique bébé. Les médecins ne pouvaient se prononcer quant à l'évolution du nouveau-né. Mais peu importait, son enfant vivait.

ALEXANDRE

Dès l'âge de quatre ans, je suivis de multiples thérapies : physiothérapie, ergothérapie, logopédie… Tout cela pour corriger l'étrange créature que je suis.

SOCRATE

Étrange ?

ALEXANDRE

Ô bon Socrate, j'étais tellement différent des autres : je ne marchais pas du tout. Je m'exprimais bizarrement. La précision de mes mouvements laissait à désirer. Somme toute, je n'étais vraiment pas normal.

SOCRATE

Qu'as-tu donc fait ?

ALEXANDRE

Une myriade d'exercices : je m'entraînais à m'asseoir correctement, à coordonner mes jambes et mes bras, à maîtriser mes mouvements brusques… Je m'initiais à la pratique de la fourchette, du couteau (sans égorger pour autant mon voisin). Je ne tardai pas à passer maître dans l'emploi de la cuillère à soupe (ou plutôt à dessert…). J'essayais enfin quotidiennement d'améliorer mon résultat du mille mètres à quatre pattes.

SOCRATE

J'imagine que tous ces excellents résultats pratiques nécessitaient beaucoup d'investissement et de temps de ta part.

ALEXANDRE

Au Centre, les occupations ne manquaient pas. Les heures de cours étaient souvent interrompues par des exercices médicaux. Luc, mon ami, apprenait par exemple, de longues heures durant, à prononcer des sons fastidieux. Il entretenait un combat sans merci avec les «ton», «rond», «son», «plomb», «pont», «pou», «blond», «bout»… Personne n'aurait montré plus d'entêtement.

En plus de cela, comme chaque écolier, nous suivions le programme scolaire normal qui comprenait l'apprentissage de l'alphabet, du calcul… Bref, de quoi remplir nos journées.

SOCRATE

Sois plus clair! Comment se déroulaient tes…

ALEXANDRE

Nous arrivions le dimanche, un peu après 19 heures, bien habillés, tout propres. Notre mine triste laissait cependant transpirer l'absence douloureuse de nos parents. La nuit, consolatrice, rétablissait notre humeur. Le matin venu, nous quittions, pleins d'énergie, nos dortoirs, descendions d'un étage et la journée pouvait commencer. Été comme hiver, les activités s'enchaînaient : thérapies, traitements, école, récréations ponctuaient notre journée. Le soir, nous regagnions l'étage pour y passer la nuit, nous nous retirions sur le coup de 20 heures. Lundi, mardi, mercredi, jeudi et vendredi se succédaient à la même cadence. Sans jamais se ressembler, les jours suivaient pourtant leur cours avec une étonnante régularité. Le temps nous entraînait inéluctablement dans sa marche sans que nous lui opposions jamais un pourquoi.

Et les contacts avec l'extérieur?

ALEXANDRE

Ils étaient rares. Au sein du complexe s'activaient un cuisinier, des lingères, un médecin, un dentiste, un psychologue. Mes camarades et moi passions le plus clair de notre temps entre ces murs. Tel était mon univers : des personnages particuliers, hors normes.

SOCRATE

Tu reviens sans cesse sur la notion de «norme», de «normalité». Pourrais-tu me définir scrupuleusement ce que signifie «normal»?

ALEXANDRE

Scrupuleusement. Laisse-moi essayer : «Qui est conforme à la majorité ou à la moyenne des cas ou des usages ; ce qui est habituel, familier.» Ainsi, par exemple, me semble-t-il, il est normal pour un enfant de douze ans de marcher, parler, lire, écrire…

SOCRATE

C'est ainsi que tu définirais ce terme?

ALEXANDRE

Grosso modo, oui.

SOCRATE

Continue !

ALEXANDRE

Au Centre, rien n'allait de soi. Tout nous étonnait. Notre quotidien nous réservait sans cesse des surprises, bonnes ou mauvaises. L'ennui n'avait pas sa place. Il n'y avait qu'un intérêt, qu'un objectif vraiment sérieux : progresser. Le reste, si les repas étaient bons, si les autres obtenaient de meilleurs résultats scolaires que nous, venait ensuite.

SOCRATE
Ne vous projetiez-vous pas dans l'avenir?

ALEXANDRE
Il y a l'urgent et l'accessoire. Progresser, améliorer notre état de santé, c'était l'urgent. Il fallait s'y employer à chaque instant. Chez nous, pas de «demain», ni de «plus tard». L'avenir se limitait aux week-ends ; nous rentrions alors chez nous pour retrouver nos parents. Pour moi, c'était une joie de vivre deux jours par semaine avec maman, papa et mon frère Franck!

SOCRATE
Est-il bon que le présent capte toute l'attention dont on est capable?

ALEXANDRE
Je ne sais pas… Par la force des choses, les pieds dans nos sabots, nous étions par nature réalistes, concrets, toujours immergés dans le présent. Quant au passé, il n'avait presque aucune consistance. Peu importait d'être en première ou en deuxième année scolaire. Le présent absorbait déjà, comme tu l'as dit, toutes nos préoccupations, toutes nos pensées. Nous ne nous compliquions pas l'existence.

ALEXANDRE

On retrouvait la même simplicité dans notre cohabitation : nous nous aimions simplement, sans artifice. Les liens se tissaient naturellement, consolidés par l'étrangeté de notre condition, par la réalité singulière de notre communauté. Devant la dureté de certains événements, les gestes amicaux que nous échangions nous prévenaient contre le découragement. L'amitié nous unissait, nous rendait plus forts. Nous nous aimions. C'était ainsi. Nous n'avions pas le choix. La douceur de notre affection réciproque parvenait à amenuiser quelque peu la solitude.

SOCRATE

Si je te suis bien, la spontanéité de vos relations naissait en quelque sorte des souffrances partagées. Vous aspiriez tous au même but.

ALEXANDRE

La collaboration était vitale pour atteindre le seul but urgent : progresser, évoluer, ressembler de plus en plus aux autres, à la catégorie des «normaux». Cela dominait nos préoccupations et donnait un sens à tout le reste. Notre existence pouvait se résumer ainsi : la vie s'annonçait riche de possibilités, pleine d'ouvertures, nous avions tout à y gagner. Notre tâche consistait dès lors à tout mettre en œuvre pour progresser, grandir.

SOCRATE

J'avoue que j'ai quelque peine à concevoir où vous puisiez tant de forces.

ALEXANDRE

Je l'ignore! Quoi qu'il en soit, il en fallait beaucoup pour abattre le travail de chaque jour. Peux-tu imaginer le nombre d'heures passées à acquérir le juste maniement d'une brosse à dents, instrument banal, mais ô combien utile? Lutter envers et contre tout: telle était notre maxime, lutter malgré l'immobilisme de certains éducateurs, lutter contre le diagnostic médical, contre le découragement et les railleries des autres enfants qui heurtaient brutalement notre sensibilité.

SOCRATE

Dis-moi, Alexandre, comment es-tu venu à la philosophie?

ALEXANDRE

Voilà qui te concerne au plus haut point. Précisément, dans ce contexte de luttes, j'ai découvert, par hasard, un ouvrage de philosophie, avec notamment ces deux sentences: «Nul n'est méchant volontairement», et «Connais-toi toi-même».

SOCRATE

J'ai déjà entendu cela quelque part...

ALEXANDRE

Cette invitation retentit immédiatement en l'adolescent que j'étais. Elle bouleversa ma vie et la rendit soudain plus intéressante. Tout devenait source de réflexion. Dans ce vaste programme, je percevais, à la fois, une aventure passionnante, un défi à relever et une stimulation bienfaisante. Dès ce jour, je me proposai de m'employer à éclaircir mon étrange situation et à analyser – autant que faire se pourrait – les réactions de mes éminents éducateurs.

SOCRATE

Ce que tu appelles «philosophie» te permettait-il de jeter un autre regard sur la réalité?

ALEXANDRE

En résumé, oui, mais surtout de sauver ma peau, d'avoir enfin la possibilité de réagir, d'opposer des tentatives de réponse aux interrogations qui me hantaient. La lecture des philosophes m'invita à mieux comprendre, à donner sens à la réalité.

SOCRATE

Sois plus explicite. As-tu un exemple pour illustrer ta démarche?

ALEXANDRE

Certes, arrêtons-nous un instant sur une faculté ordinaire de l'être humain : marcher par exemple ! Durant de longues années, je me déplaçais à quatre pattes. Puis, peu à peu, je gravis les échelons de l'évolution et parvins à me mouvoir en poussant une sorte de chariot qui me permettait de conserver l'équilibre. Mais, à neuf ans et demi, je ressentis l'envie et la nécessité de me débarrasser de cet instrument par trop encombrant. On me munit d'un casque, et «marche compagnon» !

Ainsi commença pour moi la grande aventure : tenir debout, «la tête la plus éloignée possible du sol», comme disent les chercheurs en éthologie. Devenir un bipède véritable… Toute ma vie, je me souviendrai de ces instants passés à arpenter les longs couloirs blancs du Centre.

ALEXANDRE

Un jour, tandis que j'exécutais mes sauts périlleux, un ami m'observait minutieusement des pieds à la tête. Aucun de mes gestes ne lui échappait. Tout en m'examinant, il riait comme un bossu. Cela me vexait. Totalement grabataire, Jean ne pouvait ni parler, ni marcher, ni même se tenir assis tout seul. Comment ce jeune homme osait-il rire du petit enfant qui en était à «balbutier» ses premiers pas? Je ne comprenais pas. Pourtant, très tôt, je m'aperçus que plus mes pas devenaient sûrs, plus ses rires s'amplifiaient. Et c'est dans une hilarité contagieuse que s'accomplit mon examen d'entrée dans le monde particulier des bipèdes. Les rires de Jean atteignirent leur paroxysme pour célébrer ma victoire.

SOCRATE

N'y avait-il pas là un signe?

ALEXANDRE

Perclus de préjugés et d'orgueil, je n'ai pas su l'interpréter. Et pourtant Jean avait tout essayé pour me soutenir. Il savait très bien qu'il ne marcherait jamais ; à travers son humble présence, sans parole, sans geste, avec la justesse que donnent les vraies tendresses, il avait cependant accompagné chacun de mes pas. Mes jambes devenaient les siennes. On aurait dit qu'il apprenait lui-même à marcher.

Lorsque, adolescent, je suis entré dans le cadre scolaire officiel, j'ai découvert de tout autres attitudes. Certains se réjouissaient de la mauvaise note de celui-ci, du faux pas de celui-là. Encore une fois, il me fallut une bonne dose de réflexion, d'observation, pour assumer ce contraste. La lecture des philosophes m'aida beaucoup. Je pris bientôt conscience que mon environnement avait changé. J'avais définitivement quitté le Centre où le progrès de l'un devenait celui de chacun.

SOCRATE
Quelle vertu!

ALEXANDRE
Elle était naturelle.

SOCRATE
N'es-tu pas en train d'idéaliser? Ton Centre était-il un paradis?

ALEXANDRE
Bien sûr, des conflits surgissaient entre nous, mais sans méchanceté gratuite.

SOCRATE
Pas même avec tes éducateurs?

ALEXANDRE
Mmm! Nous n'étions pas très tendres, je te l'accorde. Mûs par le sentiment d'incompréhension, nous devenions agressifs, impitoyables même. Alors éclataient de violentes querelles! Mais comprends bien : nous vivions pour ainsi dire en vase clos. Il n'y avait pas la possibilité pour nous de prendre du recul, ni même de rencontrer une personne bienveillante, neutre, extérieure au Centre. Un rapport de forces nous opposait ainsi littéralement aux éducateurs. Ces derniers, toujours mieux armés, mieux préparés, restaient les plus forts. Les confrontations se révélaient dès lors cruelles et partiales. Certains éduca-

teurs excellaient dans l'art de s'attirer les «faveurs» du directeur, celui-ci se ralliait presque toujours à leur cause et la nôtre était ainsi perdue d'avance. Puisqu'il régnait un climat d'oppression, nos parents constituaient notre seul recours. Il fallait dès lors leur dresser le tableau des faits, les pousser à réagir. Mais comment pouvaient-ils intervenir? Ils ne connaissaient jamais véritablement notre situation. Informés par les éducateurs, nos parents ne disposaient cependant que de leurs témoignages. Il arrivait que l'on nous traitât parfois de menteurs quand notre vision des faits différait de la version officielle.

SOCRATE

Le dialogue, l'argumentation, qui prenaient alors une importance vitale pour vous, ainsi que toutes ces difficultés, n'éveillèrent-ils pas en vous un sens aigu du dialogue, de la justification?

ALEXANDRE

Oui, mais à quel prix?

SOCRATE

En vous forçant à dialoguer, ne vous donnaient-ils pas un atout excellent?

ALEXANDRE

Certes, mais un atout qui pouvait aussi occasionner un danger redoutable!

SOCRATE

La sophistique?

ALEXANDRE

Plutôt la ruse et le mensonge! Je pense à un exemple précis. Un jour, la faim me tenaillait l'estomac ; j'entrevois à travers la porte mi-close du bureau des éducateurs, ô mirage, un gâteau.

Une magnifique tarte trône majestueusement dans le local du responsable, sur son pupitre, splendide. L'endroit m'est strictement interdit. Je regarde à droite, à gauche, le champ semble libre... Je me précipite sur le butin. Comble de malheur, l'objet du délit termine sa course sur le tapis. L'anxiété la plus absolue me gagne. Toutes les stratégies possibles défilent dans ma tête. Comment camoufler le crime? La crainte de représailles me fait envisager le pire. D'abord j'essaie de ramasser le tout à la cuillère, puis à pleines mains, tente d'éliminer les taches, en vain.

Une solution s'impose : tapis et gâteau, tout par la fenêtre. Aussitôt pensé, aussitôt fait. Par chance, c'est la veille des grandes vacances... et personne ne se soucie de l'échappatoire!

La vie en communauté exige le respect de multiples règles. Disposant de peu de moyens, nous devions user de subtiles tactiques pour jouir de l'indispensable.

SOCRATE

Si je saisis bien, après ta maxime : «Lutter envers et contre tout», tu suivis cette autre devise : «Si tu veux t'en sortir en milieu hostile, sois rusé!»

ALEXANDRE

Oui, mais il ne s'agit pas d'une ruse mesquine, violente, malfaisante. Plutôt, comme aurait dit Darwin, d'un esprit d'adaptation. Nous usions de ruse non pour commettre un mal ni pour profiter d'un objet de caprice... Non, nous l'utilisions pour posséder un bien ordinaire, un bien dont tout enfant devrait bénéficier naturellement. Est-ce malice que de déjouer la vigilance de la surveillante pour aller boire de l'eau?

SOCRATE

En définitive, cette lutte à la Darwin fut une stimulation pour vous.

Il est vrai que les difficultés rencontrées peuvent devenir formatrices et qu'un homme possédant un peu de bon sens en tirera plus de profit qu'en consultant les ouvrages pompeux de bien des spécialistes de l'éducation. La difficulté aguerrit, stimule, elle oblige à trouver des solutions. À ce sujet, on m'a raconté que souvent des enfants de même handicap progressent différemment selon le cadre familial et chacun peut le constater. Je me souviens que l'on critiquait âprement une mère. Cette dernière, faisant confiance à son fils, l'avait laissé prendre le train seul malgré sa démarche qui l'apparentait plus à un automate qu'au commun des mortels. J'imagine qu'elle ne l'avait pas quitté de gaieté de cœur.

On a vu des mères qui, par amour, ne s'éloignent pas de leur enfant d'une semelle. L'amour peut constituer un frein au progrès, comme le mépris. S'il enferme, il étouffe les capacités de l'enfant. Je ne parle que de mon expérience personnelle que je ne tiens pas à généraliser. Simplement, je remarque que la confiance a été vitale dans mon parcours.

SOCRATE

L'exemple du gâteau révèle les ressources insoupçonnées que l'on peut trouver au cœur même de la difficulté.

ALEXANDRE

Nietzsche, un membre de ta confrérie, parle souvent de tirer profit des épreuves ; il va jusqu'à conseiller de tirer profit de l'injustice. Cet enseignement m'a beaucoup aidé. Mais quel défi !

SOCRATE

Je suppose, comme tu me le disais auparavant, que, pour vous, tout relevait du défi, même les gestes les plus quotidiens.

ALEXANDRE

Certains biologistes soulignent que le défi est le propre du vivant. Au Centre, maintes fois, nous avons vérifié l'exactitude de ce constat. Un matin, me rendant à l'école de commerce, plein d'envie, je regardais les cyclistes me dépasser. Je conçus bientôt un projet. Les potentialités immenses qu'offrait un tel engin m'intéressaient assurément.

SOCRATE

Ne m'as-tu pas dit que tu tenais à peine debout?

ALEXANDRE

Le médecin me fit évidemment la même remarque et décréta le vélo «impossible». J'informai, malgré tout, mon père de mon intention téméraire… puis après d'ultimes préparatifs, je programmai l'expédition.

Avec force jurons et après de longues heures d'entraînement risibles, j'étais enfin paré pour de nouvelles aventures. Au mépris du diagnostic médical je parvins à tenir sur deux roues. Quelle joie d'arpenter désormais les vastes contrées de la région! Sur le chemin des habitués, on se retournait pour s'assurer qu'il s'agissait bien de l'être titubant qu'on apercevait chaque matin sur la route de l'école.

SOCRATE

As-tu constaté que tu devais non seulement braver la difficulté, mais aussi les a priori que nous projetons sur la réalité?

ALEXANDRE

D'où mon intérêt pour la philosophie. Je devais m'armer pour combattre toutes les étiquettes que, sans cesse, on nous collait. À ce propos, sur le plan éthique, Sartre, un autre de tes confrères, a beaucoup parlé de réification. La réification consiste à réduire l'autre au rang de chose. Elle réduit l'autre à un attribut, ne voit en lui qu'une qualité ou un défaut, elle le pétrifie en bloquant toute évolution.

SOCRATE

Cette pénible réalité apparaissait-elle à tes camarades aussi vivement oppressante?

ALEXANDRE

Comme tu le sais déjà, à l'intérieur du Centre, du moins entre les pensionnaires, l'amitié s'établissait naturellement, sans artifice. Elle nous permettait ainsi d'affronter ensemble les difficultés inhérentes à notre condition.

SOCRATE

De quelle sorte de difficultés prétends-tu parler?

ALEXANDRE

Le Centre regorgeait d'anomalies : moi, mâchouillant mes mots et titubant gaiement ; Philippe, qui, à dix-huit ans, mesurait moins d'un mètre ; Jérôme, qui ne pouvait pas marcher ni parler, et Adrien, qui souffrait d'un retard mental et prononçait des sons presque impossibles à déchiffrer. Rien ne nous unissait, pourtant tout nous réunissait. Ensemble nous pouvions mieux tolérer l'intolérable de notre situation, c'est pourquoi nous

nous gardions bien de dilapider notre temps si précieux dans d'inutiles querelles, de vaines mesquineries. Nous nous soutenions pour mieux affronter l'épreuve, pour assumer ensemble l'isolement de chacun.

SOCRATE

Serais-tu capable de développer cette idée de soutien, d'aide?

ALEXANDRE

Paradoxalement, j'éprouve de la peine à te l'expliquer. Avec Adrien, par exemple, le dialogue se limitait à: «Bo pull, bo pantalon, comment ça va?»

SOCRATE

Des banalités?

ALEXANDRE

Justement pas. La question: «Comment ça va?» était vitale pour nous.

SOCRATE

Vraiment?

ALEXANDRE

Par un: «Comment ça va?» nous entrions dans l'existence de l'autre, prenions sur nous ses souffrances, lui communiquant ainsi notre amitié…

SOCRATE

N'exagérerais-tu pas?

ALEXANDRE

Je ne crois pas. Même s'il est clair que je décris une situation tout à fait particulière. N'oublie pas que, pour la plupart, nous éprouvions de la difficulté à communiquer. Dès lors, nous développions nos codes et notre langage.

Souvent le soir, perdu dans mes pensées, j'enviais le sort des autres enfants : ils dormaient à la maison, partageaient d'agréables moments en famille. Quant à moi, je restais là, esseulé, sans sécurité. Une faible lumière éclairait le dortoir silencieux, occupé par de curieux personnages : un nain, qui dormait à poings fermés – à douze ans, on lui en donnait six ; un muet, qui ne parlait pas, mais qui ne se privait pas pour autant de ronfler énergiquement ; en face, Jérôme, au regard profond, qui m'observait attentivement. Une fois, il me lança, de sa voix éteinte, dans un effort surhumain un : «Çaa bva?»

La pensée que Jérôme, paralysé au fond de son lit, s'inquiétait de mes infimes soucis me bouleverse encore aujourd'hui. Il ne m'avait pas sermonné sur le courage, sur la nécessité de penser positif comme le prône la littérature édifiante, mais par de simples mots : «Çaa bva?» il avait tout dit. Son soutien était total. On a de plus en plus tendance à exclure le différent, l'inutile, l'étranger, l'autre… Jérôme ne pouvait rien faire physiquement. Après avoir évalué ses possibilités, on le qualifiait volontiers de «non rentable». Pourtant, il m'a appris, mieux que quiconque, le dur «métier d'homme».

SOCRATE

Qu'entends-tu exactement par cette expression?

ALEXANDRE

Au Centre, nous prenions très vite conscience qu'il n'y a jamais d'acquis définitifs dans l'existence. Chaque jour, il nous fallait nous remettre à l'ouvrage, résoudre les difficultés, une par une, assumer notre condition, rester debout. Voilà notre travail, notre véritable vocation, ce que j'appelle, faute de mieux, le métier d'homme.

ALEXANDRE

La condition humaine m'a toujours étonné, fasciné. Mais, au Centre, la réalité apparaissait parfois difficile à accepter. Le quotidien nous fournissait souvent l'occasion de désespérer de notre condition.

SOCRATE

Est-ce parce que les misères et les faiblesses de l'homme ressortent plus souvent que sa grandeur et ses forces?

ALEXANDRE

Au Centre, ni poésie ni littérature pour apprécier la grandeur de l'homme. Le théâtre quotidien montrait plutôt sa misère : maladie, solitude, souffrance, mort.

SOCRATE

Cela empêche-t-il vraiment de pénétrer dans la beauté de notre condition humaine?

ALEXANDRE

Non. Mes camarades, Jérôme, et bien d'autres, m'ont élevé. À leur manière, ils ont contribué à me révéler la grandeur humaine, non par des actes isolés mais par leur être même. Ce que de grands psychologues se sont évertués à m'inculquer par des sermons très longs et très étudiés, Jérôme, par sa seule présence, le prodiguait très simplement. Il m'a obligé à entrer, à pénétrer dans mon histoire, dans mes faiblesses, dans mon humanité.

Quand il me demandait comment j'allais, Jérôme voulait simplement signifier qu'il était content que j'existe, qu'il était content d'exister, malgré le caractère abîmé de nos existences. Jérôme descendait au plus profond de la réalité, pour l'assumer entièrement. Pour accepter notre condition, il me montrait qu'il fallait se nourrir, se servir de notre expérience vécue, de notre faiblesse... Aucun éducateur n'a pu m'apprendre cela.

SOCRATE

Que te proposait-on?

ALEXANDRE

On me conseillait de prendre des modèles, de suivre des schémas, jamais de descendre au plus profond de moi pour y trouver une source, fût-ce au niveau le plus redoutable : dans mon angoisse. Mais revenons à mes camarades. Adrien m'a aussi beaucoup apporté ; il était la risée de tous, le «simplet du village», celui dont on tirait profit impunément. Sa grande bonté, son immense tendresse le rendaient vulnérable et permettaient l'abus. Beaucoup l'exploitaient.

SOCRATE

Toi aussi?

ALEXANDRE

Sûrement, hélas!

SOCRATE

Parle-moi plutôt de l'aide qu'il t'apportait?

ALEXANDRE

Joyeux, serviable et content, Adrien non seulement m'assistait toujours dans les tâches ménagères, mais il représentait aussi une source inépuisable d'encouragement. Sa présence était pourtant on ne peut plus discrète. Son dialogue se limitait, tu le sais, à des «Oh», «Oli», et des «Bo pul». Mais, malgré cela, ou mieux, grâce à cela, il me surpassait de beaucoup. Je cherchais et puisais en lui soutien, accueil et force. Sa présence comptait plus que ses actes. Je pense à lui lorsque des personnes assurent que ce qui compte aujourd'hui, c'est la profession que l'on exerce, le rang que l'on occupe.

Quand on s'interroge sur le sens de nos actes, une amitié comme celle d'Adrien constitue une référence réelle pour moi. De plus en plus fuse cette question: «Quelle est la place du vieillard, de l'orphelin, du sidéen, de la prostituée?» Au Centre, entre camarades, chacun, si démuni fût-il, avait sa place.

SOCRATE

C'est curieux: vous viviez dans un contexte extrêmement complexe au milieu de personnalités très singulières et pourtant, à t'entendre, tout paraît relativement simple.

ALEXANDRE

L'existence était suffisamment difficile, pourquoi la compliquer? Ç'eût été du luxe. De simples mots servaient à nous donner un peu de tendresse. Et ça suffisait. La présence et les gestes comptaient plus que tout, de façon essentielle.

SOCRATE

Par conséquent, le corps était très important?

ALEXANDRE

Il constitue un moyen privilégié pour se rencontrer. Le contact s'établissait grâce à de simples gestes ou à des regards, plus que grâce à des conversations sans fin. Les pensionnaires du Centre provenaient d'horizons si divers! Chacun avait son expé-

propre, expérience, tu t'en doutes, difficile à décrire. De plus, nous ne disposions pas toujours des moyens nécessaires pour l'exprimer verbalement. Oui, notre existence était à la fois inhabituelle, angoissante et belle. Le regard et le geste atténuaient l'isolement. Ils jetaient un pont entre nos mondes. Quand j'ai quitté le Centre, j'ai emporté dans mes bagages la chaleur qui régnait entre nous. J'ai mis du temps, à mes dépens, à me rendre compte que les gestes dans «l'autre monde» revêtent des significations bien différentes et donnent lieu à des interprétations variables. Je ne comprenais pas.

ALEXANDRE

La pudeur en vigueur au Centre avait excessivement séparé les deux sexes, pas toujours sainement d'ailleurs et...

SOCRATE

Intéressant! Voilà un point où la simplicité n'était plus de mise. Tu as principalement vécu dans un milieu masculin.

ALEXANDRE

Cela fut lourd de conséquences. Le peu de contact avec la gent féminine constitue, à l'évidence, une carence importante.

SOCRATE

Explique!

ALEXANDRE

À l'école de commerce, lorsque je m'entretins pour la première fois avec celle qui passait pour la plus belle fille de l'école, je fus littéralement séduit par sa tendresse. Non pas par la beauté que les autres décrivaient et éprouvaient si superficiellement, mais par sa force intérieure, sa noblesse et sa douceur. Je bondis vers elle, la serrant si fort que bientôt elle s'écroula sur moi. Les regards révélèrent un je-ne-sais-quoi d'ambigu, d'angoissant, d'impur par rapport à ce que j'avais vécu jusqu'alors. Ce fut une source d'humiliation et de tristesse : je pris soudain conscience que la solitude de chacun «se communiquait» encore plus difficilement qu'au Centre.

Un ami me glissa à l'oreille : «T'as plutôt raté ton coup, faudra revoir ta méthode sérieusement.» J'ai éprouvé, je l'avoue, beaucoup de peine et j'en éprouve encore aujourd'hui au souvenir de cette mésaventure. Je n'arrive pas encore à me convaincre que les gestes doivent être réprimés. S'il faut une retenue, je pense cependant que la convention sociale qui la dicte provient avant tout d'une peur, d'un malaise face au corps, face à l'autre. Il m'arrive encore aujourd'hui de retenir un geste par trop amical envers un professeur. Poussé par un instinct, un désir de prouver spontanément mon affection en lui serrant la main, en lui tapant sur l'épaule,... je sens bien que de tels gestes peuvent être malvenus, voire prohibés dans certaines situations.

SOCRATE

Et ta nouvelle méthode?

ALEXANDRE

Tous ces événements me firent prendre conscience que j'appartenais à un «autre monde». Dès lors, il fallait tout mettre en œuvre pour s'intégrer, pour apprendre le langage de ce monde, ses codes et ses interdits. Je commençai par observer.

SOCRATE

L'observation est peut-être la qualité première du philosophe et plus généralement de...

ALEXANDRE

Sûrement. Je me mis donc à examiner de près ces créatures si différentes de moi pour tenter de me faire accepter par des gars qui me dépassaient d'une bonne tête, qui couraient dix fois plus vite. À les entendre, ils emballaient les filles avec une facilité déconcertante, fuyaient avec leur vélomoteur devant la police. Et moi, face à eux, titubant, paumé, et piéton, je compris très tôt que plus je serais joyeux, dynamique et plein d'humour, plus il me serait aisé de devenir des leurs.

Je m'attelai donc à manier les mots, à provoquer le rire chez mes chers camarades. Très vite, à l'étonnement général, je me fis une place parmi eux. Curieusement, mes amis authentiques ne se trouvaient pas parmi les premiers de classe, ni parmi les dociles, mais bien chez les derniers, les indisciplinés, ceux qui ricanent «tout derrière», ceux qui savent se montrer cruels. Ceux-là mêmes manifestaient à mon endroit une tendresse, une innocence, un amour que je n'ai jamais trouvés ailleurs. Leur façon de m'aider, d'entrer en contact avec moi revêtait une forme de nudité. Ce n'était pas la pitié des vieilles qui me donnaient cent sous (ce qui du reste ne me déplaisait pas toujours), ni l'altruisme ostentatoire du fils à papa qui démontre sa bonne éducation, son savoir-vivre. L'amitié du cancre était maladroite, discrète, sincère. Il se confiait à moi et j'osais me livrer à lui.

Je me rappelle toujours cet esprit rebelle à qui j'adressai ma salutation habituelle: «Sois sage.» Un jour, il me répondit à brûle-pourpoint: «Et toi, marche droit!» Cela me procura un plaisir extrême. Il m'estimait pour moi-même et n'avait pas pris les pincettes que prennent ceux qui me sourient béatement quand, à la caisse, je paie mon paquet de spaghettis aux herbes. Il y a des sourires qui blessent, des compliments qui tuent.

SOCRATE

Tout cela voudrait dire que la pitié blesse plus que le mépris?

ALEXANDRE

Oui, pas de pitié. Une fois de plus, je donne raison à Nietzsche. Je crois qu'il voit juste quand il condamne la pitié, l'hypocrisie ou le paraître. Chaque jour, je rencontre ce regard condescendant qui croit me faire plaisir, peut-être sincèrement, mais qui nie ma liberté et me nie ipso facto.

SOCRATE

Bien. En quoi la liberté te semble-t-elle niée par la pitié?

ALEXANDRE

Je pense que le mépris est tonique, comme disait Balzac… En revanche, la pitié, par sa fadeur, anesthésie. Un jour, je me promenais avec un ami qui circulait sur une moto pour personnes âgées. Heureux, nous arpentions librement les rues de la ville, délivrés du regard à l'avance réprobateur d'un éducateur. Ici et là, les habitants se mettaient à leur fenêtre pour épier la progression de notre curieux équipage.

Nous nous sentions libérés et criions à tout vent notre bonheur. Une fois de plus, l'héritage du Centre coûta fort cher. Là-bas, quand nous éprouvions de la joie, nous voulions absolument la partager. Et pour ce faire, nos manifestations se devaient d'être très démonstratives.

Tandis que, les yeux vers le ciel, nous roulions sur le coteau, au bord de la route, quelques vieillards édentés lorgnaient à travers leurs lunettes à double foyer.

Bientôt ils firent cercle autour de nous, nous observant sous tous les angles. Peu importait après tout, seule notre promenade comptait. Or, soudain, une voiture de police empêcha nos zigzags tonitruants. Un gendarme surgit du véhicule et nous invita instamment à rentrer au Centre. Notre liberté, on l'étouffait dans l'œuf! Nous fûmes contraints de retourner chez nous. La pitié et le souci mal placé de ces vieillards avaient fait plus de tort que de bien.

SOCRATE

La bonne conscience ne suffit pas.

ALEXANDRE

C'est exactement ce que dit Nietzsche.

[Mutisme absolu de Socrate.]

Le soir, je m'interrogeai au plus profond de mon être : «Suis-je moins libre que les autres? Se trouvera-t-il toujours quelqu'un, qui, au-delà de sa peur, me rappellera, en toute bonne foi, que je suis handicapé?»

SOCRATE

La bonne conscience ne suffit donc vraiment pas et chacun peut l'observer. Les trois cent soixante et un juges qui m'ont condamné à mort n'ont finalement fait qu'exercer leur fonction, en bonne conscience.

ALEXANDRE

À ce propos, au Centre, comme ailleurs, le personnel recourait parfois aux masques de la fonction. On respectait le médecin sans douter de sa compétence. L'instituteur savait «tout». Dans sa prétendue omniscience, l'éducateur se croyait obligé d'enseigner à mes parents «l'art d'éduquer».

Longtemps la politique de l'établissement fut : «Les parents ont mis au monde un enfant handicapé. Qu'ils nous le donnent, nous en ferons un individu plus ou moins normal.» Même si le masque d'autrui s'imposait à eux, les employés du Centre n'hésitaient pas, de leur côté, à dissimuler leur pusillanimité. De nombreux parents s'en sont trouvés déstabilisés et ont ainsi perdu leur confiance. Pour les rassurer, les éducateurs excellaient dans l'art de la flatterie. Que d'attentions n'ai-je pas reçues les jours qui précédaient la réunion annuelle! Bien que nous fussions très petits, malgré nos facultés mentales pas toujours développées, nous décelions très vite ce genre de pratiques. Nous en profitions pour recharger nos batteries, sans ignorer le caractère éphémère et illusoire d'un tel répit.

Par conséquent, les relations avec le personnel restaient superficielles. Jamais, nous ne parvenions à discuter d'individu à individu ; nous n'avions droit qu'à des palabres de professionnel à «enfant», de médecin à «malade».

Que dire des gens de l'extérieur?

Ils projetaient des images négatives sur les pensionnaires du Centre. Souvent, à mon passage, les gens chuchotaient entre eux, se tapaient du coude : «Pauvre garçon! Pauvre petit!» Ils arrivaient presque à me déstabiliser, ces foudres de guerre. Néanmoins, en mon for intérieur, j'étais convaincu d'avoir beaucoup de chance : parents formidables, amis véritables, camarades de jeu plaisants… Pourtant, à force de l'entendre mise en doute, la certitude que je n'étais finalement pas plus malheureux qu'un autre risquait de s'étioler.

Inconsciemment je percevais et comprenais que ma présence était pour beaucoup de personnes associée à un échec, un accident. J'incarnais pour eux une sorte de souffrance qui les culpabilisait. Ils se rendaient presque coupables de mon handicap. Je jouais le rôle d'une mauvaise conscience.

À plusieurs reprises, j'ai constaté que lorsque je traverse un groupe de personnes, elles se taisent, prennent un air compassé, un peu comme on soulève son chapeau au passage d'un corbillard. Puis derrière moi, les bavardages reprennent. S'agit-il là d'un réflexe? Je l'ignore.

N'as-tu jamais ressenti de tels sentiments?

Je me suis effectivement surpris à éprouver un sentiment semblable à l'égard d'un aveugle. Ce faisant, je projette sur l'individu différent toute l'angoisse, la peur, le malaise qu'engendre la dissemblance. Faute d'expérience, je ne saurais expliquer ce sentiment très complexe qui, assurément, trouve sa source d'abord en nous-mêmes. Mes camarades et moi baignions dans cette atmosphère. Lorsque nous sortions le mercredi après-midi, jour de congé, les éducateurs n'amélioraient pas les choses ; le mercredi après-midi défilait dans la ville un cortège de boiteux, d'estropiés en chaises roulantes, de nains, de paralysés et autres chatouillés du cerveau. Les badauds nous dévisageaient, impuissants ; ils éprouvaient des sentiments divers, inexprimables.

SOCRATE

Comment ne pas les comprendre?

ALEXANDRE

Aujourd'hui, on prône l'intégration ; à mon époque, on préconisait l'immersion : un groupe plongé dans un autre groupe. Ces deux entités restaient dans leur isolement confortable et convenu sans communion, ni communication : un escargot qui traverse l'herbe sous le regard intrigué, dégoûté presque, de l'enfant qui joue dans le parc. Mes camarades et moi, nous étions cet «escargot». Quant à l'enfant, il représente toute la sphère sociale : les hommes et les femmes, qui font leurs emplettes, leurs paiements, qui vont chez le médecin, se rencontrent par hasard dans la rue.

Inconsciemment, j'ai longtemps traîné cette image de l'escargot, finissant presque par m'identifier à lui. Si le mercredi représentait une joie à nos yeux, rétrospectivement je le rangerais plutôt du côté des mauvais souvenirs…

SOCRATE

Serais-tu frustré?

ALEXANDRE

Quand un enfant essaie de s'épanouir au sein d'un milieu où l'on n'a de cesse de le dévaloriser (souvent involontairement), il intériorisera cette projection et assimilera les remarques qu'il a entendues.

Nombre d'entre nous risquions de perdre toute confiance spontanée en la vie. À ce propos, des études récentes ont prétendu que les premiers mots prononcés à la naissance d'un nouveau-né exercent une influence insoupçonnée sur son développement.

Hegel a beaucoup insisté sur la problématique du regard d'autrui. Il voit dans la rencontre de l'autre un moyen de s'élever, de grandir, de devenir pleinement humain… Sartre décrit tout au long de son œuvre, notamment dans sa célèbre pièce *Huis clos*, notre besoin viscéral et profond de nous sentir reconnu, besoin jamais assouvi.

[Mutisme de Socrate.]

Le regard d'autrui, selon moi, construit, structure notre personnalité. Cependant, il peut aussi nuire, condamner, blesser.

SOCRATE

J'imagine que tu as quantité d'exemples.

ALEXANDRE

Je me promène avec une amie. À mots feutrés, elle est en train de me confier qu'elle voulait se suicider.

Nous rencontrons un garçon de seize ans. Le voilà qui lance un regard dédaigneux à mon amie, m'examine de la tête aux pieds, puis l'interpelle : «Tu as oublié la laisse?» Interloquée, mon amie éprouve un violent sentiment de révolte.

SOCRATE

Et toi?

ALEXANDRE

Moi, j'essaie de la consoler, lui dis de tout pardonner puisqu'il a agi ainsi par ignorance, par désir peut-être…

SOCRATE

Comment assumes-tu personnellement la moquerie des autres?

ALEXANDRE

Pour moi, là encore, la raillerie trouve son origine dans une faiblesse mal orientée, mal gérée. En prendre conscience m'aide.
Souvent les personnes en groupe manifestent plus de cruauté
qu'un individu isolé, qui, lui, se contentera de rire. En revanche,
l'adolescent en compagnie de ses acolytes rit avec une agressivité aiguë. Peut-être agit-il ainsi pour affirmer son assurance,
sa force ou sa supériorité. Il lui faut aussi occulter la peur qu'il
éprouve devant «l'escargot». Il dépasserait ainsi les larmoie-
ments, les pitiés. Chacun dissipe un malaise comme il peut.
Les méfaits de la moquerie, le besoin d'être intégré, la nécessité
de donner sens aux expériences parfois douloureuses de ma
vie m'ont peu à peu amené à observer le comportement des
autres, et surtout le mien, avec beaucoup d'acuité.

SOCRATE

En quoi les philosophes t'ont-ils aidé?

ALEXANDRE

Les philosophes aident beaucoup, non par leurs réponses,
mais plutôt par leur méthode, par leur terrain d'investigation. Il
m'est difficile d'expliquer autrement leur aide précieuse! Au fil
de mes études, la philosophie constitue pour moi une sorte de
loupe pour observer la réalité, pour lire dans les événements
quotidiens, pour trouver un sens aux expériences. Très tôt, j'ai
éprouvé la nécessité de comprendre la cruauté que revêtaient
parfois les relations entre individus, la précarité de ma condition d'homme.

SOCRATE

Dis-moi, Alexandre, parles-tu d'«être humain» ou plutôt d'«homme» par opposition à la femme, dont tu ne me sembles pas disposé à parler? Serait-ce une autre frustration?

ALEXANDRE

Peut-on parler de ce que l'on ignore? Je ne suis pas à proprement parler un expert en la matière!

SOCRATE

Tu as peu parlé de l'école.

ALEXANDRE

Je pourrais te faire le récit de mon premier jour à l'École de commerce de la ville. Je rasais les murs pour passer le plus inaperçu possible, pour me fondre dans la masse. Mais, n'est-ce pas? moi et la discrétion! Je compris tout de suite qu'il fallait me faire une place.

Au cours de français, durant la première heure d'école, collé au radiateur, je regrettais amèrement de ne pas pouvoir me cacher dans l'armoire. J'observais méticuleusement chacune des étranges créatures qui allaient, désormais, constituer mon monde. Bientôt, le professeur posa cette question: «Est-ce que les mêmes causes provoquent toujours les mêmes effets?» Silence. Après maintes hésitations, la gorge serrée, j'intervins et dis: «Non! si l'on tombe dans les escaliers, on peut se casser un ou deux tibias, c'est pourtant la même cause à chaque fois, on tombe…» «C'est un bon exemple», décréta le professeur. Et, défiant tous les regards qui se dirigeaient vers moi, j'ajoutai: «Question d'habitude, monsieur.» Et la classe de hurler de rire.

L'intégration était faite! Trois agréables années suivirent… À la récréation, les sourires m'attendaient, et je récoltais quelques tapes sur les épaules.

Les cancres prenaient conscience que l'étranger était des leurs. Les premiers de la classe me respectaient, car j'avais répondu le premier. Tout était gagné. Qu'il suffit de peu de choses! S'affirmer me paraît vital. Un copain souffrait d'un léger handicap au pouce. Il gardait toujours la main dans la poche. Je lui dis : «Il ne faut pas fuir le handicap. Regarde-moi, pour cacher le mien, il faudrait que je sorte dans la rue emballé dans un sac poubelle!» Très vite, j'eus l'intuition qu'en fuyant le handicap, on s'isole. Il est là, il faut l'accueillir comme un cinquième membre, composer avec lui. Pour ce faire, la connaissance de ses faiblesses me semble primordiale...

SOCRATE

N'insistes-tu pas avec complaisance sur ta faiblesse?

ALEXANDRE

C'est vital! Il faut bien faire avec. «Nous sommes embarqués», comme dirait Pascal. Trop de personnes ne s'arrêtent qu'à cet aspect obscur, négatif de notre situation, sans en entrevoir les ouvertures. Elles ne voient que l'escargot dans la personne handicapée, ou plus généralement dans l'individu différent.

Je n'arrive pas à expliquer ce phénomène étrange. Les événements que je relate ont provoqué des souffrances aiguës. Omniprésence de la solitude, séparation d'avec nos parents, douleur indescriptible : tel était notre lot quotidien. Le dimanche, jour où je quittais mes parents et mon frère, mes pleurs signalaient mon départ trois heures à l'avance. Et tandis que l'autocar nous amenait au Centre, j'observais, par la fenêtre, chaque mètre qui m'éloignait toujours plus de maman. Malgré cela, ou peut-être grâce à cela, nous nous réjouissions beaucoup, et pour peu de chose finalement. Ce contentement dominait toute notre existence et revêtait des formes différentes : joie d'exister, joie de connaître des compagnons pour affronter les difficultés, d'avoir des parents qui nous aiment. Pourquoi oublier une telle «bonne humeur» alors que désormais j'évoluais dans un lieu pour gens normaux?

Au Centre, les simples choses de la vie quotidienne, un sourire, un bon dessert, procuraient un sentiment de bonheur. La douceur de la vie dans sa simplicité la plus pure rappelle qu'il faut profiter d'elle envers et contre tout. La vie n'était pas une rivale, mais une alliée. Alliée exigeante, sévère, mais alliée tout de même. Bien sûr, nous n'en avions absolument pas conscience, nous le vivions cependant au jour le jour.

Adrien illustre à merveille ce trait de caractère. Souffrant d'un retard mental, il ne savait ni lire ni écrire, il parvenait seulement à balbutier quelques mots. Dans son langage que j'avais assimilé avec le temps «Mamaya» signifiait, par exemple, «je vais chez maman». Pour chaque chose, il avait inventé son propre code. Cela peut surprendre, mais on le comprenait facilement, avec l'habitude.

SOCRATE

Comme une langue étrangère?

ALEXANDRE

Évidemment, les choses qu'il voulait énoncer restaient très simples.

Son attention à l'autre frappait. Aucune caractéristique de son entourage ne lui échappait. Il observait avec admiration tous ceux qu'il voyait. Il éprouvait de la joie à contempler les belles choses que les autres possédaient. Il prouvait ainsi son attachement. Il ne jouissait pas de possibilités intellectuelles suffisamment développées pour exprimer ses sentiments. En disant, dans sa langue : «Toi, bo pull», ou «Toi, bien coiffé», il parvenait à exprimer tout simplement sa tendresse, son amitié, sa joie d'être avec moi. Oui, une fois de plus, c'est vital.

J'étais ému quand Adrien se souciait de Jérôme. Adrien manifestait pour Jérôme une attention si soutenue, que c'était presque un autre Adrien qui aidait Jérôme. Non plus l'Adrien maladroit, balourd, mais un Adrien subtil, sachant trouver le geste qu'il fallait pour remettre Jérôme dans son lit. Surtout qu'il ne tombe pas! Cette image m'impressionne. Adrien trouvait d'instinct une finesse comparable à celle d'une tigresse qui maîtrise son agressivité pour nourrir ses petits.

L'autre lui apparaissait toujours différent, susceptible d'étonner, d'émerveiller. Son interlocuteur devenait toujours pour lui une personne avec laquelle il communiquait et souvent communiait. Une fois de plus, la faiblesse, l'incapacité de parler cherchait un chemin pour se dépasser. Adrien rétablissait le dialogue par la médiation non plus de la parole, mais de son être, source de joie.

Malheureusement, son désir de faire le bien le rendait, je te l'ai dit, très fragile. Car on profitait de lui. Dans son village, ses voisins l'exhortaient à accomplir des bêtises. On l'encourageait, par exemple, à briser des vitres, à baisser son pantalon devant les passants. Adrien s'exécutait, dans le seul but d'être intégré au groupe.

Il pressentait bien que les actes exigés par ses voisins étaient quelque peu inhabituels ; il les accomplissait seulement dans l'espoir de devenir leur ami. Son amour si débordant tolérait même l'humiliation. Adrien, exubérant, joyeux, fort d'une personnalité sans pareille, ne pouvait contenir son trop-plein d'amour.

Mais cette émotivité hors du commun choquait. Autour de leurs maisons, les voisins avaient fait construire une barrière en barbelés pour se débarrasser de l'intrus.

SOCRATE

Encore une fois la peur du différent.

ALEXANDRE

La différence trouble, décontenance l'homme dans son souci de perfection. Quant à la peur, elle le rétrécit. Adrien se voyait non seulement condamné par ses camarades qui se jouaient de lui, mais aussi et surtout par les bonnes consciences de ceux-là mêmes qui envoient tous les mois un billet de 100 F à Madagascar. Peu importait. Adrien voulait simplement partager son amour, son amitié, tout le reste n'avait pas d'importance.

Adrien ne disposait pas d'une bonne mémoire : par exemple, il ne pouvait se souvenir de son numéro de téléphone. Il oubliait avec autant de facilité les méfaits des autres. Découvrant toujours le bien en l'autre, Adrien connaissait le prix de l'amitié.

SOCRATE

Quand tu dis connaître, il s'agit plutôt d'une connaissance intuitive, intégrée à la vie.

ALEXANDRE

Oui, pour Adrien, cette connaissance valait toutes les philosophies. Elle était vivifiante, source de joie…

SOCRATE

Adrien ne relève-t-il pas de l'exception?

ALEXANDRE

Pas vraiment. Je me souviens de cette fille rayonnante à la piscine publique. Paisiblement, elle nageait sur le dos. Quel contraste avec son histoire, la plus atroce que j'aie jamais entendue. Elle avait vécu en Afrique dans un pays en guerre. Des soldats avaient envahi son village et découpé à la hache sa mère et son père. Ils l'avaient laissée au milieu d'un tas de cadavres sanguinolents les bras et les jambes coupés. Y a-t-il situation plus horrible? Pourtant à la regarder flotter, avec son sourire éternel, elle incarnait à mes yeux la joie la plus totale, une joie unique. Merveilleuse faculté d'adaptation de l'homme!

SOCRATE

Encore Darwin?

ALEXANDRE

Beaucoup mieux!... Les épreuves forment plus que les parfaites démonstrations d'éminents scientifiques ou de pédagogues engoncés dans leurs schémas.

SOCRATE

Ne fais-tu pas là l'apologie de la souffrance?

ALEXANDRE

Je dis simplement qu'il faut tout mettre en œuvre pour parvenir à tirer profit, même de la situation la plus destructrice. J'insiste sur les épreuves parce que celles-ci restent inévitables. Rien ne sert de discourir, d'épiloguer des heures durant sur la souffrance. Il faut trouver des moyens pour l'éliminer et, si on ne le peut pas, l'accepter, lui donner sens.

Au Centre, le personnel se réunissait souvent : que de réunions, de synthèses, de contrôles, de colloques! J'ai toujours été frappé par le nombre d'heures que nos éducateurs passaient dans leur bureau, à boire des cafés et avaler des biscuits. Ils parlaient sans économie...

SOCRATE

N'est-ce pourtant pas un bon moyen de résoudre les problèmes?

ALEXANDRE

Peut-être, mais un moyen souvent mal utilisé. Des heures durant, ils dissertaient, analysaient, commentaient nos moindres faits et gestes. Que de temps n'y consacraient-ils pas! Cependant, cinq minutes avant la fin de leur service, ils étaient prêts à partir et gare à celui d'entre nous qui avait besoin d'aller aux toilettes!

Chaque pensionnaire risquait dès lors d'être réduit à un cas clinique susceptible de fournir un sujet intéressant à quelque brillante analyse. Au Centre se trouvent deux gros classeurs, j'y reviendrai plus tard, dans lesquels des générations d'éducateurs, de médecins, de stagiaires boutonneuses ont répertorié des faits de mon existence, ont émis des jugements sur ma situation et mes parents…

SOCRATE

Et que disent-ils, ces fameux classeurs?

ALEXANDRE

Je l'ignore. Heureusement, dans un sens! Car bien que ces classeurs, théoriquement, soient accessibles à tout le personnel soignant, de la stagiaire de deux jours au médecin par je ne sais quel décret, le principal concerné, le sujet de ces écrits n'avait pas le droit d'en lire la moindre ligne! Et pourtant une foule de professionnels ont élaboré un échafaudage théorique impressionnant. Peut-être ressentaient-ils le besoin de disserter, de spéculer, pour combler un vide, un manque d'expérience, pour cacher une impuissance certaine.

Que de tentatives pour expliquer des broutilles! Un simple mal de tête déclenchait des investigations dignes de Lacan. Chacun s'escrimait à donner sa version des faits. Je me souviens d'un camarade qui portait un appareil dentaire, lequel lui perforait la gencive. Il me raconta que son père avait dû enlever l'appareil dentaire à l'aide de tenailles. Le médecin dentiste n'avait pas pris ses plaintes en considération, il invoquait plutôt un problème psychologique pour justifier la douleur et préférait une explication farfelue à l'aveu de sa faute professionnelle. J'ai connu des personnes handicapées qui ont développé une maladie grave, et cela, en partie, parce que leur médecin n'a pas poussé les investigations assez loin, se contentant de donner une explication pseudo-psychologique. Une fois de plus, un exemple concret peut amorcer une réflexion sur notre condition humaine.

Pascal affirme que l'homme est esprit et corps et ne saurait se réduire ni à l'un ni à l'autre. Ces deux entités interagissent. «L'homme n'est ni ange ni bête, mais le malheur veut que qui veut faire l'ange fait la bête.» Nier le corps, loin de s'élever, c'est s'abaisser. Nier le spirituel, même résultat !

Viser l'harmonie entre ces deux dimensions, savoir la gérer, là réside précisément le difficile apprentissage du métier d'homme ; il faut toujours se dépasser, sans cesse aller au-delà de soi-même, s'engendrer, parfaire ce qui est déjà réalisé en soi. Cette intuition revêtit très tôt une importance radicale. Le bonheur, s'il existe, s'oppose ainsi diamétralement à un confort quiet, tranquille, tiède. Il réclame une activité intense, une lutte sempiternelle ; il s'apparente à une plénitude désintéressée acquise dans un combat permanent...

SOCRATE

Voilà précisément la tâche du philosophe...

ALEXANDRE

Souvent, on s'interroge sur la définition de la sagesse. Il faut être prudent, surtout ne pas tomber dans le cliché. J'ignore à peu près tout de ce concept de sagesse. J'avancerais toutefois que pour moi, être sage exige de connaître, de «faire avec» ses possibilités et ses faiblesses, de gérer sa réalité. Pour y parvenir, il faut un long apprentissage. Comme disaient les stoïciens, la sagesse réclame une constance dans l'engagement et ne s'acquiert que rarement. Accepter, cela nécessite un travail sur soi rigoureux qui, à mon avis, dépasse de beaucoup l'introspection psychanalytique.

De nombreux patients analysés avouent se trouver dans un mal-être, dans une perplexité totale après leur cure.

SOCRATE

Ne nous égarons pas. Quels objectifs tes éducateurs poursuivaient-ils?

ALEXANDRE

Rien de bien précis. Au Centre, le personnel visait plus à soulager qu'à guérir. Il traitait les symptômes sans essayer d'en comprendre la cause pour l'éradiquer une fois pour toutes. Sur le plan médical j'ai connu un phénomène analogue. Longtemps, j'ai souffert de migraines. Face à ce mal, les réponses des médecins divergeaient cruellement : pour l'un, il s'agissait de douleurs dues à l'angoisse ; pour l'autre, d'une pathologie chronique… Un jour, un ami physiothérapeute me massa la nuque, geste qui me soulagea beaucoup. Il diagnostiqua rapidement une hypertension musculaire engendrée par une lecture prolongée. Le mal identifié, on eut tôt fait de le soigner. Cet exemple banal montre qu'un a priori peut avoir des conséquences fâcheuses. Médecins, éducateurs occasionnent, on le voit, par incompétence, paresse, ignorance, autres formes subtiles d'a priori, beaucoup de torts.

Pour en revenir aux classeurs dont je t'ai parlé, ils regorgent d'exercices de style en tout genre. Un éducateur, qui comptait parmi les meilleurs, m'a permis une fois d'en lire quelques lignes. J'y ai trouvé des jugements sur mes parents, des explications pseudo-psychanalytiques de mes comportements, des rapports médicaux s'escrimant à déclarer «contre-indiquée» pour moi une machine à écrire. Pourtant, à la main, je parviens à peine à écrire un nom, presque indéchiffrable, le mien, et rien d'autre.

SOCRATE

Personne ne réagissait?

ALEXANDRE

En réunion les éducateurs s'évertuaient plutôt à se convaincre les uns les autres de leur abnégation, de leur honnêteté…

Je me suis, depuis lors, toujours méfié de ces réunions, de ces colloques dans lesquels chacun avance sa propre interprétation... N'en conclus pas que j'éprouve un ressentiment viscéral à l'égard des éducateurs. Je leur dois beaucoup. Grâce à certains d'entre eux, j'ai appris à marcher, à boutonner mes pantalons... Leur incompétence ou leur suffisance m'ont causé toutefois bien des torts.

SOCRATE

Décris-moi un peu les éducateurs qui t'ont aidé, ceux que tu apprécies ! J'aurai ainsi une opinion plus complète, plus neutre.

ALEXANDRE

Ils nous aimaient. Ils avaient confiance en nous, en nos possibilités. Sans prétendre tout maîtriser, conscients que beaucoup d'éléments leur échappaient, ils se montraient modestes. Plus pragmatiques que les autres, ils ne réduisaient pas la réalité à de vains schémas, de futiles théories. Ils agissaient en philosophes, se laissant conduire par la réalité, essayant de nous comprendre tout simplement, mais le mieux possible.

SOCRATE

Sois plus concret.

ALEXANDRE

Matthieu, par exemple, un charpentier recyclé dans l'éducation, gérait les problèmes avec simplicité. En homme de terrain, il abordait les difficultés une par une. Avec lui, les réunions, vite et bien faites, portaient leurs fruits. Sa méthode se rapproche un peu de la tienne. Matthieu avait une vision de l'éducation originale. En nous faisant confiance, il nous invitait à découvrir nos illusions, nos penchants, nos faiblesses.

Comme toi, il considérait que chacun détient en lui les solutions qu'il s'agit simplement de mettre en lumière. Matthieu ne professait pas une théorie abstraite, extérieure au sujet, il réveillait en nous un savoir, des capacités engourdies.

SOCRATE
Voilà une bonne définition de l'éducateur.

ALEXANDRE
Oui, je pense… Celui qui aide à accoucher, qui interroge, celui qui réveille les capacités enfouies par différents obstacles. Cette démarche exige confiance absolue en l'homme, mais aussi humilité, humilité qui permet de garder ses distances, de ne pas juger l'autre, de prendre conscience que l'autre restera toujours un individu irréductible, qui ne peut être totalement soumis, analysé, compris.

SOCRATE
Que t'a concrètement apporté cette démarche?

ALEXANDRE
Matthieu n'est resté qu'une année avec nous, mais nos progrès dépassaient avec lui tout le travail accompli auparavant. À ses côtés, je prenais enfin conscience de ma responsabilité. Dès lors, je pouvais commencer, en collaboration avec l'éducateur, mon propre développement.
Pour Matthieu, la vie – quand je dis la vie, je pense à l'expérience concrète – nous donne les armes pour trouver les solutions, solutions qui surgissent peu à peu au fil d'un dialogue : avec des amis, des proches, mais surtout avec soi-même.

SOCRATE
En quoi était-ce si important?

ALEXANDRE
Dans leurs colloques, beaucoup d'éducateurs insistent exces-

sivement sur la nécessité de mettre de la distance entre le «patient» et l'éducateur. Cette recommandation anodine suscite beaucoup de souffrances gratuites.

SOCRATE

Pourquoi te plaindre? Ne viens-tu pas de parler favorablement de la souffrance?

ALEXANDRE

Je ne me plains pas… Il suffisait qu'une stagiaire de mon âge se liât d'amitié avec moi, et les éducateurs lui conseillaient presque aussitôt d'y mettre un frein. La retenue rendait ainsi nos relations très superficielles, très «cliniques». Finalement, cette distance constituait un obstacle radical à l'éducation.

SOCRATE

N'était-ce pas une peur inavouée qui provoquait cette volonté affichée de distance?

ALEXANDRE

Sans doute. Toujours est-il que cette distance nous éloignait des éducateurs. Comment confier ce qui touche, ce qui est intime, à une personne qui affiche une telle distance? Avec ce genre d'éducateurs, nous n'abordions jamais les vrais problèmes. Ces personnes représentaient à mes yeux des techniciens, des spécialistes, alors que j'avais expressément besoin d'une écoute amicale, d'une proximité bienfaisante qui stimulât une recherche commune des solutions.

Cette distance a finalement creusé, entre éducateurs et pensionnaires, un gouffre infranchissable. La distance, il est vrai, peut aider le soignant à conserver sa sphère privée, à ne pas se laisser miner par les problèmes du patient. Mais si une distance raisonnable s'acquiert grâce à l'expérience, elle ne peut ni ne doit s'imposer de façon abrupte et froide. Tout cela vient…

SOCRATE

… d'un équilibre délicat.

ALEXANDRE

Le secteur social attire souvent des personnes à la recherche d'une certaine valorisation. Dès lors, le métier d'éducateur leur offre une chance d'endosser un rôle qui leur permet de s'affirmer. Elles «affichent» leur métier et jouissent ainsi presque d'un statut à part. Souvent, j'ai rencontré, dans cette profession, d'habiles raisonneurs, à la personnalité rigide, aux comportements incertains ; ils ne plaisantaient jamais, ne toléraient rien, s'énervaient facilement, prodiguaient des conseils qu'ils ne suivaient nullement. Malgré cela, ils accomplissaient tout ce qu'ils pouvaient afin de passer pour des maîtres. L'un s'épuisait, des heures durant, à caresser le poil du directeur. L'autre traversait toute la ville en fauteuil roulant, pour tenter de comprendre «phénoménologiquement» quel effet cela fait d'être handicapé. Je ne te parlerai pas de celle qui a choisi le métier d'éducatrice parce qu'une allergie chronique l'empêchait de réaliser son rêve le plus doux : devenir écuyère. Je me souviens aussi d'un éducateur à qui l'on avait déclaré : «Ça doit être dur, ce que vous faites.» Pour toute réponse, il avait posé ostensiblement sa main sur son cœur.

SOCRATE

Tu ne me donnes pas vraiment l'impression d'être au-dessus de cela. Tu en ris maintenant, mais…

ALEXANDRE

Cela m'humiliait, me mettait mal à l'aise. Étions-nous une corvée, un poids, une besogne dont on s'acquitte par obligation? Lorsqu'ils rencontraient des gens dans la rue, ces éducateurs nous donnaient la main, tout en s'efforçant de souligner avec emphase les efforts surhumains qu'ils accomplissaient pour nous «civiliser» et nous distraire.

Jean-Marc, par exemple, m'emmenait parfois avec lui à la discothèque, me présentait à toutes ses copines, en leur expliquant le travail qu'il réalisait «sur moi». J'avais l'impression de représenter une espèce rare et exotique, que l'on expose pour exciter la curiosité et impressionner la galerie. N'est-ce pas là l'archétype d'une carence majeure? Comment lui en vouloir? Grâce à moi, Jean-Marc atteignait son but en devenant l'objet d'une admiration indue. Dans la rue, lorsqu'il me croisait, devant ses amis il se faisait fort de me taper sur l'épaule. Il proclamait: «Je le connais», puis ne se lassait pas de vanter la noblesse de sa profession.

Rien de commun avec la conduite de Sébastien que j'ai connu alors qu'il effectuait un stage au Centre. Le rencontrant un jour par hasard dans la rue, je dis à mes amis de l'École de commerce: «C'était mon éducateur au Centre.» «Quelle curieuse présentation!» me confia Sébastien, par la suite. «Le Centre, certes, est le lieu où nous nous sommes connus, mais notre relation ne peut se limiter à cela, je te considère comme une vraie connaissance.» Pour lui notre relation ne se réduisait donc pas au rapport éducateur-handicapé. Il n'agissait pas avec moi en éducateur, mais en ami.

SOCRATE

Il avait, à sa manière, résolu le délicat problème de la distance.

ALEXANDRE

Oui, et même brillamment. Le métier d'éducateur demande beaucoup d'investissement. Cependant, il n'a pas à focaliser toute l'énergie de qui l'exerce. L'éducateur doit favoriser l'autonomie la plus complète de son élève. Ce n'est pas un métier comme un autre. Les erreurs peuvent y être fatales, irréversibles.

SOCRATE

Peux-tu m'en donner des exemples? Ce qui te paraît clair ne

l'est pas nécessairement pour moi. Je pense que tu as ressenti de la difficulté à…

ALEXANDRE

Eh bien soit! je vais t'énumérer quelques erreurs qui m'ont particulièrement perturbé. Je commencerai par les finances. Au Centre, l'argent de chacun était mis en commun. L'idée est honorable, elle peut cependant occasionner des débordements qui me coûtent aujourd'hui encore.

Chaque semaine, je recevais une modeste somme d'argent. J'en disposais librement. À la fin de la semaine, je devais remettre le solde à l'éducateur, qui le réinsérait dans la caisse commune. Mais, aux yeux du petit garçon que j'étais, restituer l'argent signifiait le perdre. Ma politique sur le plan financier se résumait ainsi: «Dépense tout ce que tu as.»

Souvent j'ai supplié mon confiseur de couper un bonbon en deux, car il me restait dix centimes au fond de mon porte-monnaie. J'ai du mal à perdre cette habitude. Bien sûr, on peut y trouver un côté positif, celui de considérer l'argent non pas comme une fin, mais comme un moyen. Le revers de la médaille est cependant difficile à gérer…

Autre erreur, plus grave: nombre d'entre nous manquions de confiance en nous. Or les travailleurs sociaux, qui disposent en principe d'un bagage psychologique fort développé et qui, durant leurs études, apprennent les diverses psychologies (des profondeurs…), occultent trop souvent ce problème.

SOCRATE

Cette «érudition» peut-elle troubler la confiance en soi?

ALEXANDRE

Bien souvent la capacité de mettre en pratique leurs schémas théoriques, de les adapter à la réalité leur fait cruellement défaut. Toute ma vie, je me souviendrai d'une éducatrice qui, après avoir consulté un ouvrage de vulgarisation de psychologie, avait absolument tenu à nous rassembler dans une pièce. Nous nous réjouissions d'avance de ce que laissaient présager ces préparatifs. Les oreilles dressées comme celles des lapins, nous nous apprêtions à prendre connaissance de l'événement du siècle. La déception se révéla de taille. L'éminente freudienne, instruite de tous les secrets de l'âme humaine, nous invita solennellement à «faire le deuil de notre vie».

Assurément, elle avait consulté un ouvrage prônant la nécessité de prendre du recul sur les événements de l'existence. Cependant, faisant fi du contexte particulier qui était le nôtre, elle avait tout bonnement méconnu l'enseignement prodigué dans cet ouvrage.

Certes, elle voulait nous rendre attentifs à notre fragilité physique, à la précarité de notre avenir. Mais elle le fit avec maladresse! Nous nous rendions bien compte de notre faiblesse, de la particularité de notre situation, de l'incertitude de notre avenir. Elle m'adressa en particulier cette sentence: «Tu ne seras jamais Maradona.» Mais moi, pensai-je, «je m'en fous de Maradona, je tends à un tout autre idéal». Malgré cela, nous nous efforcions de lutter avec ferveur pour un progrès certes difficile, mais possible. Force est de constater que les enfants et les adolescents ont beaucoup plus de ressources que l'on imagine. L'éducatrice, animée d'une bonne intention, désirait seulement nous prévenir contre le danger de l'idéalisation, de l'envie, de l'affabulation. Mais la nature arrange bien les choses. Mieux que quiconque, elle prodigue ses conseils.

SOCRATE

Comment en étiez-vous instruits?

ALEXANDRE

Instinctivement, nous sentions le danger de l'idéalisme. Lorsque nous nous abandonnions à une certaine affabulation, le choc du réel nous rappelait lourdement à l'ordre. Nous n'ignorions cependant pas non plus le péril inverse qui consiste à croiser les bras, à ne considérer que la difficulté sans jamais envisager les solutions, sans penser à une réussite éventuelle.

SOCRATE

L'erreur de cette femme a certainement exercé une bonne influence sur toi?

ALEXANDRE

Son enseignement avait du bon, malgré tout. Je dis souvent que les éducateurs m'ont éduqué a contrario, qu'ils m'ont donné un modèle tout fait, figé, que je me suis efforcé par la suite de ne pas suivre.

[Rires.]

Leur influence, tout compte fait, a porté du fruit. Cependant, il faut jouir d'une certaine liberté d'esprit pour savoir en profiter. Si nous devons affronter trop d'épreuves, lutter en permanence dans un milieu hostile, si nous ne disposons pas de la possibilité de témoigner, de réfléchir sur ce que nous vivons au Centre, cette critique reste impossible.

SOCRATE

Alexandre, je souhaiterais que tu approfondisses encore les perturbations occasionnées par ton séjour.

ALEXANDRE

La vie à l'extérieur du Centre fut très formatrice pour moi. Elle a révélé mes réflexes. J'ai pris conscience qu'une partie de ce que l'on m'avait appris s'opposait à mon épanouissement, à la vie en société. Mais tout le monde n'a pas cette chance. Celui qui ne sort qu'épisodiquement du Centre affronte une difficulté double : s'intégrer dans un milieu étranger et, d'autre part, désapprendre certaines habitudes qui freinent cette intégration.

Je ne voudrais pas dénigrer ma vie au Centre, car elle m'a apporté tant de choses! Mes camarades du Centre resteront pour toujours des amis inoubliables.

SOCRATE

Quelles difficultés as-tu éprouvées lors de ta sortie?

ALEXANDRE

Des règles précises régissaient notre vie de manière très ponctuelle. Ma sortie du Centre a été marquée par un «choc culturel». Il a fallu apprendre les habitudes, les mœurs, les règles de cette nouvelle vie.

Lorsqu'on me demandait si j'aimais tel ou tel groupe de musiciens, j'ignorais même qu'il s'agissait de musiciens. Le vocabulaire argotique m'était totalement inconnu. Ainsi je me rappelle que lorsqu'un ami me confia qu'il «fumait la moquette», je me demandai dans quel monde j'avais débarqué. Mais très tôt, je pris conscience qu'il fallait maîtriser leur langage, connaître leurs habitudes pour m'intégrer efficacement. Aujourd'hui, de plus en plus, on intègre des personnes handicapées à des classes normales afin de prévenir ce genre d'incidents. Certains parents m'ont soutenu que cette expérience se révèle doublement bénéfique. D'une part, elle permet à l'enfant infirme de se développer plus aisément ; d'autre part, les autres enfants, «la classe accueillante», après un rejet plus ou moins manifeste, ne portent plus le même regard sur la personne infirme. Une amitié profonde succède bientôt aux moqueries du début. Un souvenir. Un papa me confiait un jour que sa fille avait détruit ses attelles et n'osait plus regagner sa classe. Le regard des autres enfants lui paraissait insurmontable. Le papa, à contrecœur, insista tout de même pour qu'elle se rendît à l'école, et la fille dut s'exécuter. La première surprise passée, les enfants l'acceptèrent tout naturellement. Les enfants ont une faculté impressionnante à dépasser la peur et la moquerie initiales. Ils ont plus de capacité que les adultes à intégrer, gérer et accepter la différence.

SOCRATE

En es-tu sûr?

ALEXANDRE

Je le crois. Mais pour cela, l'éducation me semble essentielle. Chaque parent devrait consacrer du temps à bien expliquer aux enfants pourquoi il existe des gens différents, des gens qui ne voient pas, des adultes «en poussette» comme des bébés.
Les enfants, chercheurs, véritables philosophes en herbe, veulent comprendre. Le mot «pourquoi» revient sans cesse sur leurs lèvres. Souvent, cette soif de connaissance se heurte à une gêne, et l'indifférence des parents vient détruire cet intérêt. Au point que des parents défendent à leurs enfants de regarder une personne handicapée.

SOCRATE

Peut-on y remédier?

ALEXANDRE

C'est difficile. Peut-être ne faudrait-il pas défendre, mais plutôt apprendre à regarder autrement, à comprendre. J'ai vu des enfants changer du tout au tout. Par une simple explication, leur façon de me considérer devenait plus naturelle, plus amicale, plus vraie. Nombre de mes amis ont commencé par se moquer de moi en public. Peu à peu, au fil d'un dialogue quasi socratique, leur cruauté se transformait en une affection profonde. Il faut absolument dépasser les clichés, les tabous qui enveniment nos relations. La peur d'être authentique, la crainte de blesser causent notamment beaucoup de tort.
Au Centre, mes amis et moi demandions aux nouveaux de nous expliquer leur handicap ; nous voulions ainsi dissiper

les malentendus, être au clair. Peut-être cela favorisait-il nos bonnes relations. Entre nous, il y avait peu de tabous, peu de préjugés, et l'ambiance s'en trouvait rassérénée.

SOCRATE
N'était-ce pas à double tranchant?

ALEXANDRE
Gardons-nous d'idéaliser. Par exemple, l'accès à la télévision restait très limité, et notre bagage culturel en subissait les conséquences. Les médias exercent souvent un effet négatif, l'absence d'information, tout autant. J'ai déjà parlé de la difficulté éprouvée à soutenir le dialogue dans les domaines de la vie quotidienne tels que la musique, les nouvelles, la politique…
La désinformation dans laquelle nous baignions devint source, chez certains, mais plus tard, d'une sorte de voyeurisme. Ce fut, pour nombre d'entre nous, un risque de dérive considérable. Des camarades m'ont avoué à ce propos qu'ils «rattrapaient le temps perdu». Cela peut devenir fort gênant lorsqu'il s'agit de la sexualité.

SOCRATE
Tu n'as pas encore voulu en parler.

ALEXANDRE
Au Centre, le corps restait caché. Par lui-même, il constituait en quelque sorte un tabou, non pas entre nous, mais en général, la politique de la maison ne privilégiait pas un sain contact avec le corps. Par exemple, on nous imposait de le cacher excessivement, sans comprendre les raisons d'un tel mystère. Une information claire et nette aurait été un atout précieux. Cacher le corps signifiait le faire relever du mal, du péché, et éveillait en nous une incoercible curiosité. Ce cercle vicieux n'est que

le premier d'une série qui finit par générer des angoisses, un mal-être, et finalement aboutit à une situation inextricable.

En témoigne l'histoire d'un camarade qui, sorti du contexte, s'était adonné à la pornographie la plus triviale. Le voyeurisme devenait à ses yeux le lieu suprême d'affirmation de la liberté, de la transgression de l'interdit.

Mais si tu veux bien, je préfère encore te parler des méfaits du manque de sens pratique. Cela me paraît plus important. J'ai l'habitude, afin de me reposer et de faire le point sur l'année écoulée, de passer l'été dans des monastères. Dans une abbaye, je fis la connaissance de Marc, personnage bien étrange. Il travaillait au verger du monastère et aidait également à laver la vaisselle.

Sa grande érudition me surprit et me charma. Marc possédait un savoir impressionnant, citait avec une facilité déconcertante Marx, Sartre, Platon, ou encore Dostoïevski et Rabelais. Au fil de nos dialogues, nous nous liâmes d'une amitié profonde et constructive.

Peu à peu, je remarquai chez lui des comportements étranges. Il prononçait des paroles incohérentes au beau milieu de nos discussions. En accomplissant ses tâches, il lui arrivait de lever les bras au ciel et de vociférer des paroles incompréhensibles. Il appelait cela ses «prières jaculatoires». Je ne m'en étonnai cependant pas outre mesure.

J'appris bientôt que les moines l'avaient accueilli au monastère pour des raisons médicales : Marc avait besoin d'un cadre solide. Il ne pouvait absolument pas vivre seul car il souffrait d'une schizophrénie et d'une paranoïa chroniques. Je n'avais que faire de ces étiquettes que l'on colle trop facilement sur les personnes. L'aventure de notre amitié continua de plus belle.

Quel plaisir n'avons-nous pas éprouvé à disserter sur la métaphysique d'Aristote, la psychanalyse de Freud ou encore l'anthropologie sartrienne !

[Mutisme de Socrate.]

Un jour, Marc m'invita même à une baignade dans la rivière qui entoure le monastère. Tout en nous baignant, nous nous répandions dans de vastes débats philosophiques. Fatigué, préoccupé aussi, Marc sortit de l'eau. Je m'apprêtais à faire de même, mais, glissant sur un rocher, je perdis pied. Tandis que je me débattais fiévreusement, les mains sur les hanches, il me regardait, impassible. Par je ne sais quel miracle je me suis sauvé. Une minute de plus et je me serais noyé. Je reprochai aussitôt à Marc son inaction. Il prétendit que, trop abîmé dans ses pensées, il lui était impossible de passer à l'action. L'incident se termina bien, fort heureusement. Sur le chemin du retour, j'assénai à Marc de vives invectives. Lui ponctuait nos pas de «prières jaculatoires» pour expier sa faute. Marc m'a montré qu'une pensée – quelle qu'elle soit – représente un véritable danger si elle perd le contact avec la réalité.

SOCRATE

Tu as eu à cœur, jusqu'à maintenant, de mettre en valeur le caractère privilégié des relations qui vous unissaient, tes amis et toi. Tu m'as expliqué comment votre amitié constituait le ciment, la base solide sur laquelle tu pouvais t'appuyer. J'imagine qu'à la sortie du Centre tu as découvert une tout autre réalité.

ALEXANDRE

Tu touches là un point sensible, ce que j'appelle la dépendance affective. Il existe une dépendance obligée : je dépends de mon boulanger, de mon laitier ; je dépends de celui qui m'attache mes souliers, comme de mon professeur qui enseigne la philosophie. Cela permet à chacun de trouver sa place tout en visant l'intérêt collectif. Notre société est ainsi organisée avec son partage des tâches.

Mais la dépendance psychologique ou émotionnelle apparaît tout autre. Elle génère une tension. La peur de perdre, la peur de blesser, la peur d'être repoussé par l'ami, ou plutôt par celui dont je dépends, est effectivement un poison dangereux. Il instrumentalise l'autre, le réduit au rang de moyen pour combler un vide, moyen pour combler ma solitude. On s'accroche, on rampe vers l'autre pour se fuir soi-même. Une modalité du divertissement, dirait Pascal. Jean-Paul Sartre a aussi traité de ce problème, je t'en ai touché quelques mots : il décrit le regard de l'autre comme le moyen de se valoriser. Dès lors que l'autre me valorise, je vais tout mettre en œuvre pour lui plaire, pour recevoir au goutte-à-goutte son amitié, son approbation.

SOCRATE
Gardons-nous de simplifier à l'excès !

ALEXANDRE
Au Centre, entre camarades, tout le monde «s'aimait bien», à quelques exceptions près. La solitude physique n'avait tout simplement pas sa place, la présence de l'autre était permanente. Lorsque j'ai quitté ce contexte, privilégié sur ce plan, les choses ont radicalement changé. J'ai dû désapprendre cette compagnie continuelle pour accueillir la solitude.

Quand je dis «solitude», il ne s'agit pas d'un état de déréliction totale. Mais le contraste reste fort. Aujourd'hui encore, le problème persiste. Quand on a vécu dans l'abondance, les disettes se font plus durement ressentir. Les premiers contacts avec cette nouvelle réalité ont été parfois douloureux, mais une fois de plus très formateurs. Je t'ai décrit le moyen que j'avais trouvé pour lier des amitiés très rapidement. Cependant, j'ai vécu de façon très intense la peur de perdre mes amis. Ma liberté dépendait trop de l'autre.

SOCRATE
Lorsque tu parles de liberté, ne s'agit-il pas plutôt d'une indépendance affective ?

ALEXANDRE

Tu as raison de distinguer. Je n'ai pas choisi de dépendre de l'autre. Non, mais par mon handicap, par mon passé, je ressentais peut-être davantage le besoin d'amis et d'amies, de soutien.

Il est vrai que les publicités ne nous aident pas à atteindre la vraie liberté, l'indépendance. Elles suggèrent l'image d'un bonheur conditionné. Caricaturant le bonheur, elles le font dépendre de conditions matérielles : confort financier, statut social respectable, regard d'autrui. Elles privilégient le besoin, accroissent le désir, mais se gardent bien de donner le moyen de le combler. Quelle violence dans cette opposition !

Mon bagage culturel au sortir du Centre, je te l'ai dit, était très mince. Peut-être que l'influence de ce conditionnement en a été intensifiée.

L'éducation que j'avais reçue m'avait appris que le but ultime était l'intégration, la réussite, le fait de devenir comme les autres. Mais cette image ne m'attirait pas.

SOCRATE

Je comprends mal. Cela me paraît contradictoire.

ALEXANDRE

Paraît seulement ! Je t'ai relaté tout à l'heure que je voulais précisément devenir le plus possible semblable aux autres. Mais il est évident que cet objectif revêt des formes multiples. Peut-être ce paradoxe se résout-il si tu prends conscience que ressembler aux autres était perçu différemment par les éducateurs et par l'enfant que j'étais.

Les éducateurs ont aiguisé en moi le besoin des autres. Ils m'ont dépeint une réussite conformiste, réussite « à la Maradona ». Ce type de réussite, qui ne m'attirait pas, a pourtant baigné toute mon enfance. Programmation ? Endoctrinement indélébile ? Je n'accuse personne.

Au Centre, les marques d'affection, d'encouragement de la part des adultes n'étaient pas monnaie courante, et beaucoup de mes camarades reconnaissent aujourd'hui qu'ils aiment recevoir des louanges et des compliments. L'autre devient pour eux un «distributeur automatique» de récompenses qu'il faut à tout prix solliciter. La pitié leur sert d'instrument pour récolter quelques louanges. Réaction naturelle : lorsqu'on a faim, on cherche à manger ; lorsqu'on a soif, on boit ; lorsqu'on a besoin d'amour, on le recherche opiniâtrement.

SOCRATE

Gardons-nous de juger! Il faut comprendre les raisons de tels comportements plutôt que condamner.

ALEXANDRE

D'autant plus que certains concluent qu'il faut éduquer «à la dure». Au contraire, je pense qu'il vaut mieux essayer de nouer des amitiés, de combler cette immense carence affective. Socrate, je crois que tu touches une plaie ouverte. Je ne sais plus que dire…

SOCRATE

N'aie pas peur! Que dire de cette carence?

ALEXANDRE

Tu ne t'imagines pas les dégâts qu'occasionne l'absence des parents. De plus, le sentiment que les éducateurs nous soignent plutôt qu'ils nous aiment n'arrange rien… Ce vide ressenti dès ma prime jeunesse me fait encore souffrir aujourd'hui.

SOCRATE

Il est sain d'en prendre conscience. Cette réalité touche-t-elle tous tes camarades?

ALEXANDRE

Presque, mais elle exerce différents effets. Certains cherchent toutes sortes d'astuces pour compenser leurs carences. Il y a souvent des dérives.

Je me souviens de William. Il m'a confié qu'il avait trouvé un bon moyen pour ne plus payer le train. William parlait avec beaucoup de difficultés et sa démarche était très hésitante. Lorsque le contrôleur venait pour oblitérer son billet, il tirait la langue et le fixait, hagard. L'employé des chemins de fer, perplexe, quittait ce passager bien particulier sans exiger le paiement, et ainsi William était quitte. Le prix de son voyage défiait toute concurrence. William appelait cette stratégie contestable «opération lézard».

SOCRATE

Difficile de résister à une grande tentation...

ALEXANDRE

William affirmait qu'il avait trouvé ce moyen pour «se venger des autres». Pourquoi se venger des autres? Souvent, nous ignorons les raisons du comportement d'autrui. Quel danger de profiter du malaise occasionné par certaines situations, de rentrer dans un jeu de rôles!

SOCRATE

Qui est le plus respectueux : le contrôleur qui exige le paiement, ou celui qui, par pitié, renonce à son devoir?

ALEXANDRE

Il s'agit d'un problème éminemment philosophique. Mais la réponse demeure ambiguë lorsqu'elle s'enracine dans une expérience concrète. Les réalités humaines ne sont pas toujours tranchées. La vérité se trouve peut-être dans la nuance. Je te donne l'impression d'être catégorique, ferme, exigeant.

Cela relève du fait que je relate une expérience subjective. Je ne prétends aucunement t'exposer une théorie finement échafaudée, mais simplement témoigner d'impressions multiples éprouvées dans un contexte précis.

Le problème des carences affectives était tellement crucial pour nous…

SOCRATE

Hormis tes camarades et ta famille, personne ne parvenait à combler ce vide? Personne ne te permettait d'aller contre ce que tu appelles les dérives?

ALEXANDRE

Si, le Père Morand. Au Centre, la religion a joué un rôle déterminant. Bon nombre de mes éducatrices étaient religieuses. Certaines ne respectaient pas toujours les enseignements qu'elles dispensaient. En philosophie, on nomme ce genre d'incohérence «dissonance cognitive», c'est-à-dire dissociation entre notre idéal, notre volonté et nos actes.

Certains religieux m'ont toutefois aidé à me construire.

Comment évoquer mes années au Centre sans te parler du Père Morand? Tous les jeudis, on voyait apparaître à la chapelle un vieillard de haute taille, portant une veste usée, à l'allure fruste. C'était Père Morand, l'aumônier.

Cet homme peu à peu a accentué et nourri en moi la passion de la philosophie, laquelle m'aida bientôt à comprendre et à perdre les mauvaises habitudes instillées par mon éducation. Père Morand était, je te l'ai dit, un vieillard austère, froid, ordinaire. Pourtant, au fil des jours, je découvrais un personnage hors du commun.

Je me rendais souvent chez lui dans l'espoir de démolir ses réponses théologiques qui permettaient d'innocenter un Dieu qui rendait si austères certaines religieuses et permettait la souffrance. Au fil d'échanges réguliers, il devint un ami, mon meilleur ami. Pourtant tout nous séparait : il avait soixante ans de plus que moi, une autre culture… Malgré tout, un dialogue s'instaura et un pont se construisit entre nos deux univers.

Père Morand ne m'a jamais sermonné. Sa présence et son expérience suffirent pour me toucher au plus profond de moi-même. J'étais ému de rencontrer ce vieillard qui, malgré son état de santé misérable, s'efforçait avec joie et ferveur d'assurer sa fonction d'aumônier au Centre.

Son influence sur moi fut radicale. Elle s'exerça presque malgré lui. Sans être théoricien, ni éminent psychologue, il me transforma.

Quelle joie de le voir évoluer «dans sa maison à géométrie variable», comme il disait! Toujours disponible pour accueillir les plus nécessiteux, homme mystérieux, il ne dissertait pas. Père Morand avait vécu les deux guerres mondiales. Il me racontait à ce propos nombre d'anecdotes. En voici une qui illustre bien sa personnalité : il avait abrité dans sa maison paroissiale une famille de juifs qui fuyaient la Gestapo. Apercevant au loin la poussière annonçant la venue des voitures SS, il eut la présence d'esprit de saccager sa propre maison. Après avoir pris garde de bien cacher la famille au grenier, il renversa les meubles, brisa la vaisselle à terre. Lorsque le premier SS franchit le seuil de la porte, le père Morand désigna du doigt le tohu-bohu qui l'entourait et dit : «Regardez autour de vous, vos collègues ont déjà tout fouillé, il n'y a rien chez moi.» Grâce à son audacieuse sagacité, les SS partirent et ainsi la famille fut sauvée.

SOCRATE

Astucieux! Voilà un excellent exemple d'esprit pratique!

ALEXANDRE

Cet homme de Dieu, ce personnage aux multiples facettes m'attirait par son rayonnement. Quel être merveilleux! Sa générosité, son intelligence demeurèrent souvent méconnues.

Mais qui le côtoyait appréciait en lui une présence bienfaitrice, une aide précieuse.

Lui aussi m'a révélé la beauté de l'être humain et m'a donné confiance en moi. Par son exemple, il m'a légué beaucoup de bienfaits. Usé par les épreuves, taraudé par la maladie, cet homme a mené une existence extraordinaire, quoique effacée! Il est difficile de décrire le bonheur que m'a apporté Père Morand. Son soutien se situe au-delà des mots, au-delà des actes. Sa mort ne m'a causé aucune douleur, aucun regret. Tout ce qu'il a donné, je le garde présent dans mes actes, dans ma manière de penser, dans mon être. Que les mots sont impuissants pour parler d'une telle amitié!

SOCRATE

Tout au long de ton récit, j'ai constaté que ce sont les personnes qui passaient pour les moins compétentes qui t'ont le plus aidé.

ALEXANDRE

J'ai eu la chance de trouver sur mon chemin quelques personnes atypiques qui m'ont permis de progresser et plus tard d'étudier. Non des doctes savants, tout simplement des amis et amies qui, un peu à ta manière, ont réveillé en moi le goût des études.

SOCRATE

Venons-en précisément à tes études. Quelles étaient les voies professionnelles qu'on vous proposait? J'ai quelque peine à le concevoir.

ALEXANDRE

Au Centre, les voies professionnelles étaient déjà toutes tracées: travail manuel dans des «ateliers protégés» pour «passer le temps». Ces ateliers regroupent des handicapés qui peuvent, à leur rythme, produire différents objets. Une éducatrice avait formé pour moi le doux projet de fabriquer des boîtes à cigares. J'aurais sans doute fait un «tabac» *[rire]*.

SOCRATE

Alors tu en riais beaucoup moins.

ALEXANDRE

Certainement! On ne nous accordait aucun choix personnel! Adolescent, je n'y voyais cependant aucune entrave à ma liberté. Devant ce manque total d'alternative, je me résignais, le plus simplement du monde. Après tout, pourquoi pas, s'il n'y avait pas d'autre proposition?

On ne peut désirer ce que l'on ignore. Quelqu'un qui n'a jamais connu l'ivresse de la boisson ne se sent pratiquement pas attiré par ce plaisir. Pour convoiter une chose, pour avoir l'idée et l'envie d'exercer une profession particulière, il faut en avoir une certaine connaissance. Or celle-ci me faisait défaut. Pour caricaturer, je prendrai l'exemple de la publicité : lorsque tu aperçois l'image d'un chocolat, tu ressens immédiatement l'envie d'en consommer. Mais sans l'image, sans cette stimulation, peut-être n'aurais-tu jamais éprouvé ce désir? C'est seulement au contact de personnes de l'extérieur, que l'idée de faire des études a peu à peu vu le jour. Celles-ci, en me dépeignant les joies et les avantages de l'étude, excitèrent ma curiosité. Je voulus moi aussi goûter à ce bonheur, mais les obstacles à mon projet allaient se multiplier.

SOCRATE

Douleurs de l'enfantement?

ALEXANDRE

Les études s'envisageaient rarement au Centre. En trente ans, moins de dix pensionnaires en ont fait! Le médecin et les psychologues de la sécurité sociale ont indirectement beaucoup d'influence sur le choix de la profession. Ils évaluent notre rendement économique et en fonction des résultats conseillent nos parents. Peux-tu t'imaginer la surprise de ces bureaucrates face à mon souhait d'étudier la philosophie?

SOCRATE

Sans peine…

ALEXANDRE

Même mon quotient intellectuel parlait contre moi. Une fois l'an, nous recevions la visite du psychologue. Il venait pour évaluer notre QI. Tout cela ne paraissait qu'un jeu à mes yeux. La visite du psychologue rompait la routine du programme scolaire. Il s'enfermait une petite demi-heure avec chacun de nous. Dans une pièce exiguë occupée seulement lors des grandes occasions, je m'amusais à empiler des boîtes, de la plus grande à la plus petite, à commenter des dessins, à tester mes réflexes maladroits, à faire du calcul… Le psychologue brassait toutes ces données pour en faire un chiffre, objet de discussions houleuses durant la récréation. Ma mère m'apprit plus tard que j'avais écopé du quotient intellectuel le plus bas de ma classe. Cela m'amuse.

Les conclusions du psychologue, si inconsistantes fussent-elles, revêtaient beaucoup d'importance. Le médecin fondait ses décisions concernant notre avenir professionnel en partie sur les résultats de ces tests. Mes parents ont dû les contester énergiquement pour me faire inscrire dans une école privée. Après maintes tractations, on m'y accepta à raison d'une demi-journée par semaine. Notre persévérance triompha et mon succès dépassa toutes les espérances. Je me retrouvai bientôt parmi les premiers de la classe.

SOCRATE

Comment expliques-tu ce progrès subit?

Aussitôt placé dans un contexte stimulant, je vis mes capacités se développer rapidement. J'étudiais beaucoup plus pour être à la pointe, pour m'adapter, m'intégrer.

Au Centre, en revanche, l'environnement était tout différent : je travaillais sur la petite machine à écrire qu'avait finalement décidé de m'accorder la sécurité sociale. Je prenais tout mon temps, je ne me pressais pas. Fabien, assis à côté de moi, tapait sur le clavier de l'ordinateur avec une baguette fixée au front, la «licorne». Il écrivait dix fois moins vite que moi. Adrien, près de lui, s'escrimait de ses doigts trop lourds à écrire son prénom. Quant à moi, je m'ennuyais en classe, admirant par la fenêtre les beaux paysages hivernaux.

SOCRATE

Tu n'avais aucune motivation ?

ALEXANDRE

J'adaptais mon rythme à celui de mon voisin. Dès qu'il avait écrit un mot, je faisais de même, dix fois plus vite. J'employais déjà toute mon énergie en thérapie à essayer de marcher droit, de monter des escaliers, de lacer mes chaussures. L'étude me paraissait en outre secondaire, fastidieuse, et surtout inutile. Rouler des cigares, tel était mon horizon professionnel. Lire, écrire et calculer ne m'auraient servi à rien.

En revanche, à l'école officielle, le fait d'être avec des adolescents plus rapides que moi m'obligea à m'adapter. Et ce fut une joie profonde. Plus tard, une nouvelle acquisition modifia encore davantage ma conception de la culture. S'opposant à l'avis du médecin, mes parents m'offrirent un ordinateur. Quelle révélation ! Je pouvais désormais écrire à mes amis, rédiger des textes avec le plus grand plaisir. L'ordinateur devint un précieux compagnon. Il corrigeait mes erreurs, me donnait des synonymes, élargissait ma culture en me fournissant des informations. Ma langue s'enrichit et une soif de culture se fit ressentir au plus profond de moi. Mes résultats scolaires s'améliorèrent et je pus entrer à l'École de commerce.

Cette école offrait une alternative qui semblait contenter tout le monde. D'une part, elle me garantissait la perspective d'obtenir un diplôme professionnel répondant aux critères de rentabilité que réclamait la sécurité sociale. D'autre part, elle satisfaisait mon désir de culture.

Après une intégration plus ou moins facile, ces trois années se déroulèrent paisiblement. Je fis de nombreuses connaissances et des amitiés sincères se nouèrent.

Pour entrer à l'université et étudier la philosophie, il me fallait toutefois passer par le lycée-collège qui exigeait des connaissances approfondies de l'italien. Prenant mes jambes à mon cou, je fis un séjour d'un mois en Italie pour rattraper deux années de programme scolaire.

Au lycée-collège, les professeurs manifestèrent une grande compréhension. Tout fut mis en œuvre pour faciliter au mieux mes études. Pourtant, quelle difficile intégration! Mes camarades de classe se connaissaient déjà depuis deux ans. À l'accueil fort chaleureux du début succéda une progressive mise à l'écart. Les professeurs me consacraient un peu plus de temps qu'aux autres étudiants. Le spectre de la jalousie empoisonna l'ambiance générale.

De qui émanait cette jalousie? Des premiers de classe, de ceux-là mêmes qui dissertaient avec un talent certain sur la tolérance, qui s'insurgeaient contre les traditions, la religion, qui prônaient une libre pensée, une tolérance à l'égard du prochain, une ouverture à la différence. Étonnante incohérence! Mais grâce à tes enseignements dont j'avais peu à peu fait ma lecture, cher Socrate, grâce aux conseils de Père Morand, je sortis de cette impasse, en prenant conscience que c'était plus l'ignorance qu'une méchanceté délibérée qui avait détérioré l'ambiance.

SOCRATE

Je commence à comprendre le motif de ta visite.

ALEXANDRE

Des questions pratiques s'ajoutèrent au problème d'intégration. Les ordinateurs ne permettent que très difficilement de traiter des données scientifiques. Il n'existe que très peu de logiciels permettant de faire des mathématiques ou de la physique. Par conséquent, il me fallait dicter aux professeurs mes examens de sciences, ce qui n'allait pas sans complications. Là encore, le professeur devait me consacrer un temps supplémentaire, d'où, sans doute, cette ridicule jalousie. Comment ne pas en être profondément affligé? Autant mon intégration à l'École de commerce, où les mêmes problèmes avaient trouvé une heureuse solution, fut une réussite, autant ma place au lycée-collège devenait menacée.

Désagréable surprise! On m'avait dressé des lycéens un portrait très positif: humanisme, ouverture. Pourtant, j'affrontais des jalousies internes, des rivalités et un manque total de compréhension. Je me fis toutefois des amis, et non des moindres. D'autre part, l'expérience de ce climat oppressant fut très formateur. Il me montra que la vie au Centre, le bon esprit de camaraderie qui régissait nos relations, était une île bien particulière au milieu d'un océan gigantesque souvent secoué par de violentes tempêtes.

SOCRATE

Chaque expérience est positive, même la plus difficile, comme tu sembles l'insinuer. À t'entendre, cela paraît une évidence, mais…

ALEXANDRE

Il est vrai, cela requiert un dur labeur. Je te répète que, dès que je découvris la philosophie, je me suis employé sans relâche à essayer de comprendre ce qui m'arrivait et à en tirer profit.

SOCRATE

Qu'entends-tu exactement par «comprendre», «tirer profit» ?

ALEXANDRE

On m'a appris un jour que «comprendre», au sens hébreu du terme, signifiait «goûter», «faire l'expérience de». La connaissance, dans la culture hébraïque, diverge d'un certain intellectualisme, héritage du monde grec que tu connais beaucoup mieux que moi. Pour les juifs, se connaître, c'est s'imprégner de sa propre histoire pour lui donner un sens, une signification, faire des expériences.

SOCRATE

Là encore, ce n'est pas si évident!

ALEXANDRE

Non, on peut accumuler les expériences pour fuir la réalité, sans en considérer le sens profond, la signification, les conséquences qu'elles ont sur nous et sur notre entourage. Grâce à la réflexion cependant, chaque événement peut aider à construire, à choisir ce qui nous fait vivre, à choisir la vie.

Reprenons les enseignements de l'étymologie hébraïque, offrons-nous une brève digression sur le bien et le mal. «Bien», en hébreu, s'emploie pour les champignons comestibles et «mal» pour ceux qui nous tordent l'estomac jusqu'à l'agonie. Se connaître, c'est précisément connaître ce qui est bien, ce qui favorise la vie, et non accumuler des expériences stériles.

Beaucoup de personnes venaient travailler quelques jours au Centre pour «faire des expériences». Cela nous gênait d'être objectivés presque comme des cobayes, des cas cliniques rares.

SOCRATE

Revenons au collège, qu'y as-tu expérimenté?

L'échec! Après avoir tout essayé, tant sur le plan technique pour remédier à l'impossibilité d'écrire que sur le plan relationnel pour tenter de construire un pont entre deux mondes si éloignés, je dus me convaincre que «ma» différence se faisait cruellement sentir.

Avant d'entrer au collège, je m'étais préparé à élargir mes connaissances. On m'avait décrit la grande culture des collégiens, prétendus amis du savoir. J'avais sans doute idéalisé ce modèle, mais j'éprouvais un réel plaisir à la perspective d'être immergé dans un contexte propice à la réflexion, au savoir. Cependant, grande fut la désillusion. Leurs références n'étaient pas Rabelais, Spinoza ou Pasteur, mais plutôt les héroïnes de sitcoms, succédané moderne d'Aristophane. Au Centre, comme je l'ai dit, malgré notre peu de culture, nous allions au fond des choses. Nous nous limitions à l'essentiel. Au collège, je n'avais plus cette possibilité. À l'exception des cancres qui, au mépris des clichés, dépassaient les différences et devenaient mes amis. Mais passons.

Vint le moment de mon entrée à l'université. J'allais vivre seul pour la première fois, devoir cuisiner… Cela provoquait beaucoup de peurs dans mon entourage. On adressait à mes parents toutes sortes de critiques, de reproches emplis de crainte. Mais c'était décidé ; je ne vivrais pas sempiternellement en institution, même si le prix était cher à payer.

SOCRATE

Je brûle d'impatience!

ALEXANDRE

Mon apprentissage des bienfaits de la cuisine fut rapide. Après un mois de tortellinis à la crème, je parvins à apprêter quelques mets plus délicats… J'avais des adversaires de taille. Le four, par exemple, de sa bouche béante, menaçait à chaque instant de me griller les pattes. Pour sortir les croquettes du four, je devais donc trouver une stratégie à la Napoléon : j'ouvrais le four avec des gants, plaçais une assiette à vingt centimètres de l'entrée du four, puis avec la broche du four comme avec une canne de golf, j'essayais de viser chaque croquette une par une afin qu'elle atterrisse dans l'assiette. Au début, mes progrès furent lents, mais je parvins quand même au score d'une croquette sur dix. Mon agilité s'améliora. Je passai à deux croquettes sur dix, puis à quatre, à cinq, à sept, à neuf. J'attends avec impatience les longues soirées d'hiver pour parfaire ce résultat, somme toute admirable.

Chaque difficulté me stimulait, devenait l'occasion d'une aventure passionnante. Peu à peu, je parvins à une autonomie très correcte. Toutes ces années d'ergothérapie m'ont beaucoup aidé. Mais leur apport n'égalait pas, de loin, ce que j'ai appris tout seul dans mon studio. Comme dit souvent ma maman : «On se débrouille toujours quand on a faim.» La nécessité de ne pas choyer, de ne pas surprotéger l'autre mais, au contraire, de l'ouvrir, de l'inviter à se dépasser joue un rôle important. N'exagérons pas toutefois! Mon autonomie totale ne sera jamais possible.

Heureusement, à l'université, j'ai trouvé des amis et des amies sincères, qui me passent leurs notes de cours avec spontanéité, sans condescendance. On travaille ensemble, on se complète et des amitiés solides se sont formées.

L'impuissance vécue au collège a été un poids pour moi ; à l'université, cette impuissance devient source de richesse. Conscient que je ne peux rester seul, je vais spontanément vers l'autre et de saines relations ont ainsi vu le jour. J'insiste sur le fait que l'amitié doit être sincère. Aristote parle des degrés d'amitié. Au sommet de l'échelle, il place l'amitié qui unit deux personnes égales. Les deux amis doivent s'enrichir mutuellement sans s'exploiter. J'ai le bonheur d'expérimenter cela. Ces amitiés m'apportent beaucoup de réconfort, réconfort que je puisais, au Centre, auprès de mes camarades d'infortune.

SOCRATE

Je n'aime pas l'expression «camarades d'infortune». Il n'est pas, me semble-t-il, adapté à la joie, à l'énergie et à la force des compagnons que tu n'as eu de cesse de décrire.

ALEXANDRE

C'est vrai, mais je l'emploie uniquement par commodité de langage. Revenons aux amis actuels. Les médias affirment souvent que, de plus en plus individualiste, l'homme se renferme sur lui-même, que les relations mutuelles sincères se raréfient cruellement. Paradoxalement, j'ai eu l'impression du contraire. À l'université, j'ai trouvé des aides spontanées. Avant d'y entrer, j'avais beaucoup réfléchi pour trouver les moyens qui me permettraient d'étudier comme un autre. Très vite, je me suis aperçu que compter sur mes propres forces ne suffirait pas. Des étudiants se sont proposés pour m'aider et, grâce à eux, je peux étudier presque normalement.

Lorsque je lis trop longtemps, je souffre d'hypertension à la nuque, ce qui occasionne des maux de tête. Pour prévenir cela, certains me prêtent leurs notes, d'autres me lisent des ouvrages sur cassettes.

SOCRATE

Se sentir tributaire des autres ne te rend-il pas amer?

ALEXANDRE

Je pense, au contraire, qu'il s'agit d'une richesse, mais pour cela il faut dépasser les mortifications du départ. Mon incapacité à atteindre une parfaite autonomie me montre quotidiennement la grandeur de l'homme. Au cœur de ma faiblesse, je peux donc apprécier le cadeau de la présence de l'autre et à mon tour, j'essaie avec mes moyens de leur offrir mon humble et fragile présence.

L'individu faible ne représente pas nécessairement un poids pour l'autre. Chacun dispose librement de sa faiblesse, libre à lui d'en user judicieusement.

SOCRATE

La faiblesse peut devenir féconde, génératrice d'amitié. Est-ce bien ta pensée?

ALEXANDRE

En théorie, mais la mettre en pratique reste difficile. C'est tout un travail, encore une fois. Assumer jusqu'au bout sa faiblesse demeure une lutte de tous les instants. Rien n'est acquis à jamais. Souvent nous sommes seuls dans cette entreprise et le regard des autres devient un frein à cette acceptation. Je me souviens que les premières fois où je quittais la maison je sentais derrière les volets entrebâillés un regard plein de curiosité malsaine. Une vieille dame ouvrait le volet et m'interpellait: «Rentre chez toi, gamin, il ne faut pas sortir tout seul.» Ces remarques me blessaient, elles tuaient la confiance pour longtemps.

Les réactions de ce type sont très particulières. Gardons-nous de généraliser ce phénomène très complexe. Madame de Staël disait: «Comprendre, c'est pardonner.»

SOCRATE

Comprends-tu?

ALEXANDRE

Pas encore. Cela nous a causé bien des torts et continue aujourd'hui à nous faire mal. Il faut composer avec, essayer de comprendre.

C'est précisément ce travail que je n'ai eu de cesse d'appliquer sur moi. On acquiert peu à peu une liberté fragile, sans cesse menacée, mais une liberté tout de même. Cet apprentissage, cet enseignement, Père Morand me l'a prodigué. Voilà le plus grand trésor que l'on m'ait donné en dix-sept ans d'institution. Ce tré-sor que j'ai entrevu grâce au Père Morand, c'est toi, Socrate, qui m'as donné l'envie de le cultiver. Grâce à cette soif, j'ai trouvé la force nécessaire pour cette lutte joyeuse et belle. Et pour cela, Socrate, grand Merci.

La philosophie – en tant que lutte contre les clichés, les poncifs – m'a beaucoup aidé à opposer la raison à tout ce fardeau de préjugés et de sentiments négatifs, à lutter contre l'irrationnel, la peur, la cruauté. L'ennemi à combattre après mon séjour au Centre fut le manque de confiance en moi et l'incompré-hension. Il me fallait non seulement accepter et assumer mon anormalité! Jamais je ne serais tout à fait comme les autres, jamais je ne serais normal. Il me fallait aussi trouver de la force, force pour comprendre l'incompréhensible, pour pardonner l'impardonnable, et si possible avec joie.

SOCRATE

Tu as insisté, tout au long de ton récit, sur les liens d'amitié, liens très forts qui vous unissaient, toi et tes camarades. Tu as beaucoup parlé de la richesse, de la profondeur de tes cama-rades, des forces qu'ils puisaient au cœur même de leurs fai-blesses. Puis tu as expliqué quelques-unes des stratégies qui t'ont permis de t'adapter au cadre scolaire officiel. Est-ce bien cela?

ALEXANDRE

Exactement!

SOCRATE

Tu as également décrit les douleurs que peut engendrer le regard des autres : les méfaits de la pitié, de la moquerie, de la bonne volonté utilisée à mauvais escient, de la bonne conscience. Tu as dressé le portrait du mauvais éducateur, puis celui du bon. Tu as énuméré certaines difficultés rencontrées au sortir du Centre, et les solutions que tu as peu à peu trouvées, grâce à la philosophie notamment. Mais il reste un dernier point à éclaircir.

ALEXANDRE

Aurais-je oublié un détail? Ce ne serait guère étonnant.

SOCRATE

Tu n'as eu de cesse de dépeindre la vie au Centre et ton intégration… Souvent tu as relevé la ligne de partage entre le normal et l'anormal. Tu m'as certes donné une définition de la normalité. Mais serais-tu capable, serais-tu assez renseigné pour approfondir ce sujet?

ALEXANDRE

Socrate, je crois être assez bien préparé pour satisfaire à ta demande. En effet, la distinction normal-anormal a conduit toute ma vie jusqu'à présent.

On m'a expliqué, par exemple, qu'il existe deux effets de la normalité. La normalité peut constituer une stimulation pour la personne qui s'en sent exclue. Elle suscite en elle le désir de devenir toujours meilleure, de réduire de plus en plus l'écart qui la sépare des autres. La normalité peut aussi créer la marginalité, exclure… De nombreux éducateurs et psychologues ont disserté sur ce thème.

SOCRATE

J'aurais grand plaisir à entendre ce qu'ils t'ont enseigné sur la normalité. Quels sont les critères qui permettent de séparer l'individu physiquement normal de l'individu physiquement anormal?

ALEXANDRE

L'anormal est par définition ce qui s'écarte de la norme. Beaucoup de caractéristiques (la taille, le poids,…) varient au sein d'une population. La majorité des personnes se situeront cependant dans la moyenne. Ainsi plus un individu s'écarte de la norme, moins il sera normal. Ta démarche, ton élocution, Socrate, se rapprochent plus de la norme que ma démarche, que ma manière de parler… Tu es donc normal, et moi pas. En médecine, on assimile l'homme normal à l'homme parfaitement sain.

SOCRATE

Cela paraît limpide. Mais, sur le plan psychologique, où placerais-tu cette limite? Tu m'as expliqué qu'au sortir du Centre tu avais parfois des comportements extrêmes : tu exprimais tes sentiments de manière incongrue, tu éprouvais de la peine à garder la juste distance avec les filles, tu avais du mal à réprimer un geste par trop amical à l'égard d'un professeur. Comment distinguerais-tu, dans ces cas, le normal et l'anormal?

ALEXANDRE

Comme auparavant, le comportement anormal s'écarterait de celui de la moyenne, de celui du commun des mortels.

SOCRATE

Dans ce cas, selon ta définition, la personne exceptionnellement douée, ou extrêmement heureuse ou tout à fait normale, serait anormale.

ALEXANDRE

Bien sûr!

SOCRATE

Il faut donc que tu précises ta définition de l'«anormalité».

ALEXANDRE

L'anormal est peut-être ce qui s'écarte de ce que l'on considère comme une conduite acceptable.

SOCRATE

Qu'entends-tu par «on»?

ALEXANDRE

La société et ses normes.

SOCRATE

Ne m'as-tu pas dit que vous aviez l'habitude d'exprimer votre joie par des cris, par des gestes? Est-ce là un comportement anormal?

ALEXANDRE

Il s'agissait là d'un comportement tout à fait normal au Centre, et peut-être en est-il ainsi au sein de certaines populations.

SOCRATE

Il est donc difficile de définir l'anormalité exclusivement par rapport à la conformité aux règles d'une et une seule société, car celles-ci peuvent varier.

ALEXANDRE

On pourrait aussi prendre comme critère le fait d'être inadapté. Certains l'ont fait pour définir le handicap physique.

SOCRATE

As-tu l'impression que tes camarades et toi étiez inadaptés?

ALEXANDRE

Non. Je ne crois pas. Mais qu'est-ce qu'être inadapté?

SOCRATE

Justement, je te le demande.

ALEXANDRE

On a souvent affirmé que la personne inadaptée, anormale, se sent malheureuse.

SOCRATE

Est-ce vraiment le cas? Ne m'as-tu pas dit que la joie d'Adrien, le simplet du village, demeurait un exemple, une ressource? Et la fille mutilée qui rayonnait à la piscine se sentait-elle malheureuse?

ALEXANDRE

Non.

SOCRATE

Elle échappe donc à la règle. Est-ce peut-être une anormale . pas normale? Alexandre, où est précisément la frontière entre anormalité et normalité?

ALEXANDRE

Je dois t'avouer que je l'ignore.

SOCRATE

Alexandre, j'ai une idée. Après cela, nous serons fixés sur la normalité. Où que je me rende, en quelque situation que je me trouve, tout le monde me considère comme un marginal, un anormal et me traite comme tel. Pourtant, je marche droit, je respecte les lois… Prouve-moi, démontre-moi que je suis, en tout point, tout à fait normal!

[Silence d'Alexandre.]

Imprimé en Allemagne par GGP Media GmbH, Pößneck
ISBN : 978-2501-07341-7
4069571 / 13
Mai 2013